Recomiéndame

Saber venderse en la red

Recomiéndame

Saber venderse en la red

Andy Lopata @AndyLopata

MARKETING Y NEGOCIOS

Título de la obra original:
Recommended. How to sell through networking and referrals

Responsable Editorial:
Eugenio Tuya Feijoó, @nenedelcerro

Traductor:
Bruno Gorjón Salvador

Diseño de cubierta:
Celia Antón Santos

Todos los nombres propios de programas, sistemas operativos, equipos hardware, etc. que aparecen en este libro son marcas registradas de sus respectivas compañías u organizaciones.

Authorized translation from English language edition published by Pearson Education Limited.
Copyright © Andy Lopata 2011
All rights reserved.

Edición española:

© EDICIONES ANAYA MULTIMEDIA (GRUPO ANAYA, S.A.), 2012
   Juan Ignacio Luca de Tena, 15. 28027 Madrid
   Depósito legal: M-18120-2012
   ISBN: 978-84-415-3191-8
   Printed in Spain

Dedico este libro a todas las personas que me han apoyado, aconsejado y recomendado a lo largo de estos años.

Gracias por vuestra ayuda.

AGRADECIMIENTOS

Podrían sentirse decepcionados, estoy seguro, si un libro que analiza la importancia de las referencias y el networking, se hubiera escrito sin la ayuda de un gran número de personas que pertenecen a la propia red de contactos del autor.

Bruce King, autor de How to Double Your Sales, me recomendó a Liz Gooster, de la editorial FT Prentice Hall. La presentación de Bruce cumplió con todos los requisitos de una buena referencia. Le habló sobre mí a Liz y por qué debería entrevistarse conmigo, y nos puso en contacto para que yo pudiera llamar a Liz y para que ella, a su vez, pudiera esperar mi llamada. Liz y yo nos reunimos unos días después y, desde ese encuentro, Liz ha trabajado sin descanso conmigo, no sólo para que la editorial publicara el libro sino también para hacerlo de la mejor forma posible. Gracias a Bruce y Liz por vuestra ayuda y apoyo.

Muchas personas me preguntan de dónde saco el tiempo para escribir un libro, desde luego no es un trabajo que podamos tomar a la ligera.

En realidad, éste es mi tercer libro pero es el primero que escribo en solitario. Nunca he estado solo en el proceso y tengo que dar las gracias a Mindy Gibbins-Klein por su excelente asesoramiento y por el apoyo que me ha ofrecido. Mindy proporciona un maravillo servicio a los futuros escritores, ayudando en la planificación y la orientación a través del proceso de escritura. Este libro seguiría siendo una idea en mi cabeza sin el apoyo de Mindy.

Hablando de que el libro estaba en mi cabeza, las catalizadoras para que tomara la decisión de poner por escrito y publicara mis ideas fueron Kate Trafford y Tiffany Kay. Kate y Tiffany me sacaron de una conferencia en la Academy for Chief Executive Chairmen. Durante la reunión que mantuvimos, me animaron a escribir el libro y fijaron una fecha límite. Hacer algo como eso delante de una gran audiencia te compromete a hacer algo al respecto. En este momento, Kate y Tiffany escriben sus propios libros, ¡se recoge lo que se siembra! Muchas gracias a las dos.

Existe un denominador común en mis tres libros, aparte de mí, claro está. Jo Parfitt es un excelente editor y realizó un inestimable trabajo en esta obra antes de que fuera a la editorial. En cuanto a la editorial, quiero dar las gracias a Emma Devlin por su ayuda a la hora de darle vida al libro.

También quiero dar las gracias a Rosie Slosek y Sarah Hilton por leer los distintos borradores del libro en sus diferentes niveles de desarrollo y por ofrecerme sus valiosos y honestos comentarios.

No he querido ser arrogante y compartir únicamente mi propia visión del mundo, creo que los pensamientos y las ideas de otras personas también funcionan y refuerzan los argumentos que aparecen en el libro. En consecuencia, he recurrido a varias personas de dentro y de fuera de mi red de contactos para compartir sus ideas con los lectores.

Estoy muy agradecido por el tiempo que me han dedicado muchas personas, algunas de ellas, lamentablemente, no aparecen en la versión final del libro.

Gracias a Vanessa Hall, por ofrecerme su tiempo para realizar una amplia entrevista. También quiero dar las gracias a Mike Burnage, Andy Preston, Peter Thomson, Howard Nead, David Baum, Tim Farazmand, James A. Ziegler, Angela Marshall, Lesley Everett, Warren Cass, William Buist, Neil Mutton, Martine Davies, Alan Stevens, Tony Westwood, Dave Clarke, Nancy Williams, Mike Southon, Daniel Priestley, Derek Bishop, Servane Mouazan, Aron Stevenson y Tim Bond por compartir sus historias y su sabiduría.

En el capítulo que hablamos del uso de LinkedIn como una herramienta para generar referencias, usamos el ejemplo de Mark S. de Ford para explicar cómo se puede encontrar y realizar un contacto de tercer grado. Gracias a Mark Simpson por permitir que lo utilizáramos como ejemplo, y también quisiera agradecer la ayuda prestada por mis contactos de primer y segundo grado, Foluke Akinlose MBE y Nicole Yershon, gracias por transmitir mi mensaje a Mark. ¡Funciona!

También querría dar las gracias a Maggie Berry de Women in Technology por contarnos su experiencia en LinkedIn.

Muchas personas excepcionales han recomendado este libro y me han ayudado a convencer a los posibles lectores de que merece la pena examinar sus páginas. Mi agradecimiento para todos aquellos que han permitido dicho respaldo, junto con las personas que me presentaron a alguno de ellos, en particular a Ivan Misner, Vanessa Vallely, Rod Sloane y Jennifer Rademaker.

Gracias a Jason Sullock y su equipo en Sage por recomendar el libro a los usuarios de su sistema de base de datos ACT!.

En el mundo actual, las compañías necesitan mantener más que una simple relación de negocios con sus clientes y Jason, Jo Lennon y sus colegas lo han demostrado en innumerables ocasiones.

El apoyo de mi red, tanto los contactos cercanos como por ejemplo, mis tres grupos de mastermind y también mis contactos más lejanos en sitios Web como LinkedIn, Facebook y Twitter, también han servido de gran ayuda. Quisiera dar las gracias, en especial, a Rob Shreeve por su inestimable consejo. Y a los miembros del Wild Card Pack, en particular a Kelly Molson, Mark Lee y Derek Bishop, por su amistad, sus ánimos y por estar siempre que los necesitas.

Lo habitual es finalizar agradeciendo a nuestra familia todo su apoyo. Mi familia, en forma de padres y socios, Harvey y Claire, en realidad han jugado un papel más proactivo de lo normal, corrigiendo los manuscritos y ofreciendo sus ideas y comentarios.

También quiero dar las gracias a los lectores de este libro.

Por último, dar las gracias al Dr. Hot, por su infinita paciencia y apoyo.

SOBRE EL AUTOR

Apodado "Mr. Network" por el periódico The Sun, el pasado año Andy Lopata fue nombrado por el Financial Times "uno de los principales estrategas del networking comercial de Europa".

Andy es un destacado columnista en la publicación Web norteamericana, The National Networker y también escribe para varias revistas de economía. A Andy le citan frecuentemente en la prensa nacional del Reino Unido.

Durante ocho años, Andy fue director administrativo de la red de contactos británica Business Referral Exchange.

Desde entonces, ha trabajado en una gran variedad de compañías, desde pequeñas empresas hasta grandes multinacionales como Sage, Merrill Lynch, Aviva Investors y MasterCard, ayudándoles a descubrir todo el potencial del networking. También fue vicepresidente de la Professional Speaking Association.

Si quiere saber más acerca de Andy, puede visitar su página Web http://www.lopata.co.uk. Para descubrir más ideas sobre el networking, visite http://www.recommendedthebook.com, o para compartir sus propias opiniones y consejos favoritos del libro, use #RecommendedtheBook en Twitter.

ELOGIOS

"La lectura de este libro me ha parecido relevante y valiosa a nivel personal y profesional. El autor analiza la cuestión de las estrategias de referencias de un modo exhaustivo y detallado. Las enseñanzas extraídas de esta obra son prácticas y extrapolables a todas las áreas relacionadas con la "ciencia" de la ingeniería, ejecución y mantenimiento de una estrategia de referencias (a nivel tanto profesional como personal).

Me llevo un montón de sabios consejos, gracias."

—Colin Wright, vicepresidente sénior, Desarrollo de Ventas, MasterCard.

"Este libro ofrece consejos directos, sencillos y prácticos para cualquier empresa que necesite aumentar sus ventas. Las pistas generadas a través de referencias son las que con mayor frecuencia se convierten en negocios, haciendo de este libro una herramienta esencial para cualquier vendedor".

— Dr. Tony Alessandra, autor de Collaborative selling y de The Platinum rule.

"Este libro nos enseña a crear una valiosa cadena de referencias, que nos permitirá vender más, más rápido y más fácilmente que nunca".

— Brian Tracy, coautor del best seller del New York Times, Now build a great business!

"Este libro es una guía práctica que refuerza conceptos que si los practicamos darán como resultado un método más específico para conseguir referencias. Por mi experiencia, las referencias sólidas se transforman en negocios más que cualquier otra forma de generar pistas de venta. No obstante, esas referencias surgen de relaciones fuertes. Andy hace un gran trabajo desterrando el mito de que un vendedor tiene que lanzar su argumento de ventas a cada oportunidad, en lugar de enfatizar el papel de la relación construida a partir de la generación de referencias sólidas".

— Erich Gerth, director djecutivo, director general de desarrollo de negocio global, Aviva Investors.

"Una red de contactos potente es esencial para que cualquier negocio tenga éxito y Andy es el rey del networking. Su nuevo libro es una lectura obligatoria si queremos construir nuestra 'tribu' de seguidores y disfrutar de los beneficios que esa red nos puede aportar".

— Rachel Elnaugh, empresaria, asesora en el programa de la BBC TV Dragon y prestigiosa mentora de empresas.

"En este libro Andy Lopata demuestra cómo muchas empresas ignoran su recurso más potente, sus redes de contactos. El asesoramiento práctico y minucioso de Andy nos enseña a construir y a beneficiarnos de las relaciones en nuestra red".

— Ivan Misner, escritor superventas del New York Times y fundador de BNI y del Referral Institute.

"Cómo presentarse en ventas es el primer paso en el proceso de crecimiento de un negocio. Andy Lopata aborda este principio básico poniendo el foco en la generación de oportunidades de ventas a través de las referencias. Resulta ser el método más eficaz para conseguir negocios, este libro es una herramienta esencial para cualquier vendedor o empresario ambicioso".

— Lara Morgan, fundadora y anterior directora general de Pacific Direct Group, y fundadora de http://www.companyshortcuts.com.

"Andy es un experimentado creador y gestor de contactos que ha convertido su exitoso método de trabajo en una guía práctica y eficaz".

— Keith Ferrazzi, escritor superventas de Never eat alone y de Who´s got your back.

"Andy Lopata es un gran ejemplo de valedor. A través de Andy, he llamado por teléfono a patrocinadores, ponentes, voluntarios y colaboradores potenciales, y la razón por la que respondieron a mis llamadas fue porque mi valedor, Andy, me había preparado el terreno".

— Michelle Brailsford, gestora de talento en BBC Worldwide y copresidenta de European Professional Women's Network.

"Lo verdaderamente importante en este libro es que se basa en la propia experiencia y práctica de Andy. Las referencias sólidas son los pilares de cualquier negocio con éxito y esta es una guía práctica para recibir y ofrecer presentaciones de alta calidad. Todo el trabajo que Andy ha realizado para Big Issue Invest demuestra que realmente predica con el ejemplo".

— Nigel Kershaw Obe, director general de Big Issue Invest y presidente de grupo de The Big Issue Company ltd.

"Desarrollar nuestra red de contactos es un prerrequisito para cualquier persona de negocios con éxito. Ya sea para generar ventas o para nuestro desarrollo personal, a quién conocemos es si cabe más importante que lo que sabemos. En este libro, Andy ofrece técnicas totalmente comprobadas que cualquiera puede utilizar para aumentar su esfera de influencia y a la larga mejorar su propia imagen como individuo o como negocio. Una obra de lectura obligatoria".

— Phil Jones, director de marketing y ventas de Reino Unido, Brother UK.

"Este libro invita tanto a la reflexión como a la práctica. La orientación que ofrece es perfectamente lógica y el lector puede aplicar sus consejos en sus propios negocios".

— John Jantsch, autor de Duct Tape Marketing y de The Referral Engine.

"Una lectura estimulante e interesante. Las relaciones sólidas, duraderas y personales son cruciales para tener éxito en los negocios, Andy es un experto en ese sentido y su libro está lleno de consejos prácticos, sugerencias, estrategias y sabiduría para ayudarnos a construir y conservar las mejores relaciones a través del networking".

— Peter Ryan, director de servicio al cliente de la compañía Logica.

Índice
de contenidos

PARTE VI. APÉNDICES

Prefacio

Siempre nos dicen que deberíamos predicar con el ejemplo. Quiénes son los que lo sugieren, no estoy seguro, pero sin duda tienen razón. Creo que las referencias nos proporcionan el medio más eficaz para generar nuevos negocios. Los clientes potenciales están seleccionados previamente, quieren recibir noticias de nosotros y saber que ya existe cierta confianza. Como consecuencia, resulta más fácil convencerlos que a una pista de ventas generada por cualquier otro medio.

> **Nota:** Las referencias nos proporcionan el medio más eficaz para generar nuevos negocios.

Durante diez años he analizado los métodos más eficaces para generar referencias. Durante ese tiempo he cometido probablemente, la mayoría de las equivocaciones enumeradas en este libro y también he seguido los consejos que os voy a ofrecer. No obstante, hasta hace muy poco, no he seguido los consejos al pie de la letra. Por supuesto, he utilizado las técnicas que describo en el libro. Después de todo, he desarrollado esas técnicas tras analizar lo que hacía con naturalidad y lo que funcionaba bien. También he conseguido muchos logros utilizando esos métodos. La gran mayoría de mis negocios proceden de recomendaciones o referencias. He recibido referencias de buena calidad varias veces por semana y he trabajado en más compañías de primer orden que en negocios de nuestro tamaño y se podría esperar una etapa inicial de crecimiento razonable.

La diferencia radicaba en que mientras estaba mostrando a mis clientes cómo desarrollar una estrategia sólida para generar referencias, yo seguía dependiendo sólo de mi instinto. El cambio se produjo cuando uno de mis directores asociados comenzó a presionarme. El director se encargaba de generar nuevas oportunidades de negocio y mi trabajo consistía en proporcionarle referencias desde mis propios contactos profesionales. Me di cuenta de que aunque estábamos consiguiendo muchas referencias, la mayoría de ellas procedían del mismo tipo de servicio. De hecho, mi estrategia de referencias no funcionaba. De modo que comencé escogiendo a diez personas que con toda seguridad nos recomendarían de manera regular y que ocupaban una posición idónea para poder hacerlo. Estas personas se convirtieron en mis "valedores", las personas en las que podría confiar para conseguir apoyo y referencias. Cuando examinaba mi lista, resultaba cada vez más evidente que no me había percatado de lo que tenía delante de mis narices. No había solicitado referencias a las personas apropiadas. Me humillé y pedí disculpas, y comencé a analizar los distintos pasos de mi estrategia, determinando con qué personas estaba relacionado, qué tenía que suceder para que me recomendaran y pidiéndoles las conexiones o referencias. Quién lo iba a decir ¡las referencias que solicité comenzaron a hacerse realidad!

Independientemente del tamaño, industria o sector, la mayoría de empresas pueden hacer mucho más para mejorar el flujo de referencias. Muchas empresas dejan al azar las referencias, otras consideran que ya son fuertes en este ámbito.

> **Nota:** La mayoría de empresas pueden hacer mucho más para mejorar el flujo de referencias.

Podemos pensar que ya abordamos este tema ejecutando un "programa de referencias" o concentrándonos en los medios sociales para generar consultas boca a boca. Como veremos en este libro, estos planteamientos, con frecuencia, propician recomendaciones en lugar de referencias, y esto provocará que perdamos nuestro tiempo mirando al teléfono esperando a que suene.

Las empresas que utilizan enfoques convencionales al marketing boca a boca a menudo tienen dificultades para conseguir el nivel de nuevos mercados que se podrían generar mediante un enfoque más específico.

Como analizaremos más adelante, existe una gran diferencia entre recomendaciones y referencias. Consideramos adecuado dirigirnos a nuestros clientes potenciales en lugar de esperar a que sean ellos los que vengan a nosotros; deberíamos centrar nuestro esfuerzo en la segunda opción siempre que sea posible.

Esto es algo en lo que los encargados de las empresas pueden involucrarse, desde el director ejecutivo y su equipo, hasta los equipos de venta y marketing, pasando por el personal que no trabaja directamente con los clientes. Lo cierto es que hay cambios que todos nosotros podríamos hacer y que producirían mejoras significativas en la generación de nuevos negocios.

Muchas personas se sienten nerviosas o incómodas a la hora de pedir referencias. No es necesario sentirse así. Si la petición de referencias proviene de un estudio y planificación detallada, y sabemos que estamos pidiendo a las personas apropiadas el apoyo adecuado, ellos estarán dispuestos a proporcionarlo. La incomodidad procede de la desesperación y de la incertidumbre. Podemos superar ambos conceptos con facilidad.

No existe ninguna diferencia en el tipo de negocio en el que estemos o el servicio que ofrezcamos. Las referencias son el alma de los negocios de cualquier tipo o tamaño. Las empresas de nueva creación necesitan entrar en el mercado con rapidez; las multinacionales necesitan mantener su competitividad y atraer pistas de venta tan eficazmente como sea posible. Los propietarios de pequeñas y medianas empresas dependen de las recomendaciones y referencias para poder dedicar más tiempo a las ventas y menos a buscar mercados; los departamentos de ventas quieren pistas que se convenzan con más rapidez, con menos objeciones y clientes potenciales que compren más.

> **Nota:** Las referencias son el alma de los negocios de cualquier tipo o tamaño.

Si vendemos artículos de gran valor, las referencias a clientes pueden producirnos grandes beneficios. Si nuestro producto o servicio se comercializa por una pequeña cantidad, conocer a alguien que pueda recomendarnos a otras personas regularmente, puede facilitar la vida de nuestro departamento de ventas.

Este libro da fe del poder de la referencia. Muchos escritores sueñan con que sus libros sean publicados por una gran editorial. Uno de los escritores de FT Prentice Hall, alguien a quien conozco, me recomendó a ellos y les dijo por qué deberían trabajar conmigo y publicar este libro, antes incluso de habernos conocido o de haberles enviado una copia del manuscrito.

Él nos puso en contacto y en pocos días nos reunimos y llegamos a un principio de acuerdo. Aun así el libro tiene que ser lo suficientemente bueno, pero el interés era elevado debido a la calidad de la presentación. La recomendación a FT Prentice Hall era un ejemplo típico del tipo de presentación sobre la que hemos construido nuestro negocio. En lugar de enviar una fría propuesta a un sinfín de editoriales, junto con las de otros miles de autores, una cálida presentación asegura el interés y una reunión. A partir de aquí fue más fácil llegar a un acuerdo. No hay nada especial o inusual en nuestra empresa que nos haga tener más posibilidades para conseguir dicho negocio. Todos los negocios tienen la inmensa oportunidad de crecer mediante presentaciones de personas que se complacen por apoyarlos. A pesar de eso, hay muchas compañías que no lo consiguen porque carecen de una estrategia que funcione y de la disciplina para mantenerla.

La finalidad de este libro consiste en proporcionar ese objetivo y la estrategia para conseguirlo.

Mantener la disciplina depende de nosotros.

Introducción

Un estudio del año 2010 demuestra que los clientes que se establecen mediante referencias invierten más en un negocio, producen márgenes de beneficio superiores en esa empresa en las primeras etapas de su relación, permanecen como clientes durante más tiempo e invierten más dinero en la compañía con el paso del tiempo que aquellos clientes que llegan a través de otras rutas al mercado[1].

Si las referencias proporcionan unos resultados tan eficaces, ¿por qué no dedicamos más tiempo a centrarnos en su creación?

Culturalmente, todavía nos cuesta pedir ayuda, aunque a muchos de nosotros nos encanta que nos la pidan. Siempre preferimos obtener un proveedor a través de referencias o recomendaciones que mediante una búsqueda en frio.

Nota: Todavía nos cuesta pedir ayuda, aunque a muchos de nosotros nos encanta que nos la pidan.

Según Grant Leboff, autor de Sticky Marketing: Why everything in marketing has changed and what to do about it, "en cada canal de marketing importante, la tasa de respuesta ha descendido. El comportamiento de compra ha cambiado desde los días en los que los clientes solían tomar las decisiones basándose en los anuncios que veían en la televisión y en las revistas".

"Si queremos comprar un producto o servicio hoy en día, hacemos dos cosas, o pedimos una recomendación a nuestra red de contactos o buscamos directamente en internet".

---

[1] Referral Programs and Customer Value de Schmitt, Skiera y Van Den Bulto, podemos encontrar el estudio en la dirección Web, http://www.atyponlink.com/AMA/doi/abs/10.1509/jmkg.75.1.46.

Podemos observar la eficacia de las recomendaciones en el auge de popularidad de sitios Web como TripAdvisor, donde los usuarios pueden examinar la opinión de otras personas sobre destinos vacacionales y hoteles antes de hacer la reserva. Amazon se lo ha tomado muy en serio, las opiniones y valoraciones de los lectores conforman gran parte del éxito de cualquier libro en el sitio Web y utilizan lo que otros usuarios han visto para guiar el comportamiento de compra.

En otras palabras, si examinamos el comportamiento de compra, el boca a boca es una de las dos principales rutas que siguen los posibles compradores.

Por esta razón resulta vital para los departamentos de ventas maximizar su alcance mediante referencias y recomendaciones. Una estrategia de referencias sólida es esencial para compensar la entrada de mercado perdido procedente de rutas tradicionales.

Nota: El boca a boca es una de las dos principales rutas que siguen los posibles compradores.

Pienso que, hasta cierto punto, las compañías lo comprenden. Pero la mayoría de enfoques son demasiado amplios, genéricos y, para ser honesto, poco entusiastas. Y el marketing boca a boca todavía se encuentra por debajo de las rutas más tradicionales hacia el mercado en la mayoría de los planes de negocio y presupuestos. Las grandes empresas en particular, implementan "programas de referencias" donde se dirigen a sus clientes en bloque, sin embargo un enfoque más individualizado centrado en relaciones es probable que obtenga mayores dividendos.

Establecer una estrategia de referencias eficaz conlleva tiempo y esfuerzo, aunque la rentabilidad justificaría la inversión.

La mayoría del esfuerzo debería realizarse en las etapas iniciales. Una estrategia de referencias consolidada puede conducir a un flujo regular de nuevos negocios generados sin demasiadas contribuciones adicionales.

Dicha estrategia es importante, ya seamos una empresa en desarrollo o una gran multinacional. Las técnicas que aparecen en este libro deben practicarlas tanto los directores generales como los departamentos de ventas. Incluso las personas sin responsabilidades en ventas deberían participar en la cultura de referencias de una empresa. Después de todo, ellos también tienen una red de contactos.

El marketing boca a boca ha comenzado a destacar en los últimos años, a la vez que el auge de los medios sociales y los sitios Web de recomendaciones de usuarios. En cada extremo de una campaña de marketing boca a boca debería existir una estrategia de referencias fuerte.

Si hacemos esto correctamente los beneficios son más cuantificables y más potentes que cualquier otra ruta hacia el mercado.

> **Nota:** En cada extremo de una campaña de marketing boca a boca debería existir una estrategia de referencias fuerte.

A pesar de todo, si seguimos sin invertir el tiempo y los recursos para conseguirlo. Nosotros, nuestros colegas y nuestro personal disponen de contactos para generar las referencias que nuestros negocios necesitan.

A lo largo de las próximas páginas demostraré cómo podemos crear esas relaciones y aprovecharnos de esos contactos para generar el nivel de referencias que está dentro de nuestro alcance. Expondré cómo podemos desarrollar nuestro propio "Libro de Referencias", un sistema que nos ayudará a planificar nuestra estrategia y a mantener un registro de los resultados.

Analizaremos las diferentes etapas de una estrategia de referencias y, de hecho, en primer lugar expondré por qué necesitamos una. Después de definir lo que quiero expresar con el término "referencia", os retaré a desarrollar una idea clara de lo que representa una referencia ideal y a quién tenemos la obligación de conocer.

Cualquier estrategia exige los tres ingredientes básicos de confianza, conocimiento y oportunidad que permiten a las personas recomendarte, y examinaremos cada uno de esos elementos uno por uno para poder comprender de dónde podrían proceder esas referencias.

Una vez que sepamos quiénes son nuestros posibles "valedores", tanto como negocio como individualmente, es muy importante centrarnos en cómo podemos motivarles para que nos recomienden y, una vez que estén preparados para hacerlo, cómo podemos facilitarles el proceso.

Nadie puede esperar recibir referencias sin estar dispuesto también a transmitirlas. Compartiré los pasos clave que tendremos que dar para recomendar proactivamente a otras personas en nuestra red de contactos, algo que por el momento puede hacernos sentir incómodos.

Por último, analizaremos las herramientas que nos ayudarán a implementar una estrategia de referencias. Dentro de estas herramientas examinaremos la red social LinkedIn, que podemos utilizar de manera muy eficaz para generar nuevas presentaciones, también analizaremos mi propio Libro de Referencias, que agrupa todos los argumentos de discusión a lo largo de este libro y que nos servirá para construir y medir el éxito de nuestro plan.

Hay una serie de ejercicios que tenemos que seguir en todo el proceso, que nos servirán para mejorar nuestra propia red y las conexiones que debemos realizar.

Ahora es el momento de invertir en los recursos para hacerlo posible. Establecer nuestro propio Libro de Referencias y comenzar a dar los pasos necesarios para convertir a nuestros contactos en valedores. Si trabajamos en una gran compañía, tenemos que asegurarnos de que todo el mundo en el departamento de marketing y de ventas comprende las referencias que estamos buscando y cómo deben pedirlas.

Debemos mantener un registro de los resultados y comprobar que los logros pueden reproducirse, y que los desafíos pueden superarse sin problemas con la práctica. Utilizar los medios sociales, sobre todo LinkedIn, nos garantiza la difusión de referencias repetidamente.

Nota: Debemos mantener un registro de los resultados y comprobar que los logros pueden reproducirse.

La clave consiste en mantener nuestro objetivo. Una vez que comprendamos las ideas que aparecen en este libro, resulta muy sencillo realizar muchas de las actividades de forma habitual y generar logros de modo natural. Como he comprobado, por otro lado, implementar una estrategia y desarrollarla eleva nuestra generación de referencias a un nivel superior.

La oportunidad no espera. El valor de las referencias para los negocios se ha comprobado repetidas veces.

Depende de nosotros salir ahí fuera y conseguirlas.

Parte I
¿Por qué necesitamos que nos recomienden?

1. ¿Qué es una referencia?

PREFERIMOS QUE NOS RECOMIENDEN

Es un hecho bien conocido que las presentaciones personales son muy eficaces. Mientras escribía este libro mantuve una reunión con una persona que pertenecía a una conocida asociación comercial. Un compañero me había enviado un correo electrónico presentándome a su contacto, quien organizaba programas de desarrollo en nombre de la asociación.

La mujer de la asociación nos respondió a ambos inmediatamente y me invitó a establecer un encuentro.

> **Nota:** Es un hecho bien conocido que las presentaciones personales son muy eficaces.

En principio, acordamos mantener una conversación telefónica para valorar si existía la posibilidad de trabajar juntos. Sin embargo, dio la casualidad de que el día que ella podía hablar por teléfono, yo estaba realizando un seminario en una empresa situada muy cerca de su trabajo. Le sugerí que nos reuniéramos en persona después del seminario.

En consecuencia, conseguimos eludir la llamada telefónica de "precualificación" y fuimos directamente a la reunión en la misma semana que nos presentaron. Hablamos de este tema mientras salíamos de una entrevista muy productiva, y me dijo que la credibilidad ofrecida por el contacto que me presentó supuso que estuviera encantada de reunirnos en persona, durante un día muy ocupado, sin tener una idea clara de la agenda de trabajo. No lo habría hecho si me hubiera puesto en contacto con ella en frío.

Tomamos las mismas decisiones en las mismas condicionas casi diariamente. Por ejemplo, ¿cómo obtenemos nuestros proveedores, tanto los proveedores para nuestros negocios como los que necesitamos que ayuden en el hogar?

¿Cogemos la guía telefónica y consultamos el listado? ¿Es posible que nos hayamos adaptado a los cambios tecnológicos y que ahora utilicemos motores de búsqueda o directorios Web?

Creo que nuestra ruta preferida no es ninguna de las dos que acabamos de mencionar. La mayoría de las personas se sienten más seguras si gastan su dinero con alguien que le ha recomendado una persona de confianza. Preguntarán a compañeros de negocios o a vecinos que conozcan para que puedan hacer el trabajo en cuestión.

El día de nochevieja del año pasado, el termostato de mi casa se estropeó y me quedé sin agua caliente. Después de no poder contactar con el electricista al que había recurrido anteriormente, me puse en contacto con una amiga que vivía cerca y le pregunté si conocía a alguien en la zona. Me recomendó al yerno de uno de sus amigos, basándose en el hecho de que su amigo era digno de confianza.

Nota: Es menos probable que preguntemos por el precio cuando nos han recomendado a alguien.

Se trataba de un vínculo muy débil pero me sentí mucho más cómodo contratando al electricista que me había recomendado que si hubiera elegido uno al azar de la guía telefónica. Sabía que, al menos, existía algún tipo de contrapartida si las cosas no iban bien, la relación que mantenía y que no querría arriesgar. Probablemente no fue la decisión más racional que he tomado en mi vida (aunque debo señalar que estuve encantado con el servicio que recibí) pero me hizo sentir mucho más seguro. La gente prefiere que la recomienden, por ese motivo el boca a boca es la ruta más eficaz para llegar al mercado. Es menos probable que preguntemos por el precio cuando nos han recomendado a alguien, es menos probable que comparemos precios la próxima vez que tengamos la misma necesidad y es más probable que los recomendemos una vez más.

Nota: La gente prefiere que la recomienden, por ese motivo el boca a boca es la ruta más eficaz para llegar al mercado.

NO DEBEMOS CONFORMARNOS CON EL SEGUNDO PUESTO

Si nos tomamos en serio el desarrollo de nuestra estrategia de referencias, tenemos que ser muy claros sobre el tipo de información que queremos recibir de la gente. A menudo, estamos tan agradecidos por recibir el apoyo de nuestra de red de contactos que nos conformamos con información que es mucho más difícil de seguir y menos probable que podamos transformarla en nuevos negocios.

Nota: Tenemos que ser muy claros sobre el tipo de información que queremos recibir de la gente.

Dicha información tiene su importancia y puede ser muy útil, pero en términos de generación de pistas de venta es difícil superar a una buena referencia de calidad. Aunque nuestros valedores, las personas que nos transmiten las referencias, no realizan la venta, una buena referencia nos debería acercar mucho más a la venta que cualquier otro tipo de información comercial.

Una de mis primeras frustraciones cuando era director ejecutivo de Business Referral Exchange (BRX), una red comercial nacional dedicada a la presentación de referencias, era la pobre calidad de mucha de la información que se transmitía entre los miembros. Nos sentíamos en la obligación de difundir al menos algún tipo de "referencia", muchos miembros transmitían nombres y números de teléfono de personas que sólo podían estar interesadas en los servicios descritos, de personas con las que no tenían la menor intención de hablar, y de compañías con las que no tenían negocios personales. En otras palabras, no eran más que "nombres".

Como resultado, era menos probable que los miembros que habían recibido referencias de tan baja calidad pudieran seguir las referencias de alta calidad que recibirían posteriormente, reduciendo los niveles de confianza en el grupo.

Todos reconocíamos que teníamos que cambiar esta situación, por lo que hicimos dos cosas. Cambiamos el énfasis en la cantidad de referencias por la calidad. Animamos a no transmitir referencias a menos que cumplieran ciertos criterios y a comunicar exactamente qué tipo de información comercial estaban ofreciendo.

No sólo analizábamos lo que constituía una buena referencia sino que también considerábamos otros tipos de información comercial válida que pudieran transmitir.

Indicio

Un "indicio" es simplemente un poco de información, nada más. No se transmiten nombres ni datos de contacto; incluso no podemos saber si se requieren nuestros servicios. A un agente inmobiliario le gustaría saber si una compañía se está trasladando; a un conferenciante que se va a celebrar un seminario; a un abogado que se está contemplando una fusión.

Todos podemos beneficiarnos de saber más información sobre un cliente potencial. Aunque con un "indicio", tendremos que encargarnos de todo el trabajo posterior nosotros mismos.

Pista

A través de una pista conseguimos un poco más de información, quizás un nombre o un número de teléfono. Según la enciclopedia Wikipedia, una pista "representa la primera etapa de un proceso de venta".

Todavía hay mucho trabajo que hacer pero estamos un paso por delante.

Cuando un contacto de nuestra red nos da un nombre y un número y dice "tienes que hablar con esta persona", nos está dando una pista. Si nos invita a utilizar su nombre cuando nos dirigimos a un cliente potencial, se trata de una pista "caliente".

En una ocasión, recibí una llamada de una persona de mi red diciéndome que su Cámara de Comercio local necesitaba desesperadamente ayuda para animar a sus miembros a establecer contactos de manera eficaz. Me dijo que la Cámara conocía este problema y se dispuso a darme los datos de contacto de la persona responsable. Mi contacto no le había hablado de mí al responsable de la Cámara, ni que le llamaría, por lo que de hecho, para mí, se trató de una llamada en frío.

No obstante, pude utilizar el nombre de mi contacto como un miembro de la Cámara de Comercio a quien le gustaría verme trabajar con ellos.

Por supuesto, habría sido mejor para mí si el responsable de la Cámara hubiera sabido que le llamaría y que estaba interesado en saber cómo podría ayudarles. Pero estaba encantado de aceptar la pista y seguirla yo mismo como si viniera de una persona a la que no conocía bien (nos habíamos reunido dos veces y me había visto hablar en una ocasión), y estaba agradecido por haberme ofrecido la información.

No recibí respuesta a la primera llamada que hice. Cuando volví a llamar, el responsable de la Cámara apenas mostró interés en lo yo que podía ofrecerle, ¡en lugar de intentar hacerme socio de la Cámara! Al final, se demostró que la pista tenía poco valor, algo que podría haber sido diferente si la hubiéramos desarrollado un poco más.

Recomendación

Normalmente, se confunden con las referencias; una "recomendación" implica que alguien le ha dicho a nuestro cliente potencial que debería considerar recurrir a nuestros servicios. Cuando sucede, es algo maravilloso, siempre y cuando nuestro posible cliente realice el seguimiento y se ponga en contacto con nosotros. Hasta que suena el teléfono, las recomendaciones poseen poco valor, lamentablemente.

Estoy seguro de que en más de una ocasión nos hemos encontrado con gente en los eventos de networking a los que le gustaría distribuir varias tarjetas de visita a cada persona con la que se reúne. Quizá sea nuestro caso. La idea consiste en que nos quedaremos con una para nosotros y que distribuiremos el resto.

Hay dos problemas en este método. En primer lugar, todo depende de que la otra persona quiera recomendarnos y que lleve consigo las tarjetas de visita en todo momento. ¿Cuándo hemos hecho eso nosotros?

En segundo lugar, es posible que nunca nos enteremos si la gente distribuye nuestras tarjetas a otras personas y, por lo tanto, ignoraremos su posible interés, por lo que tampoco podremos hacer nada al respecto. Todo lo que podemos hacer es esperar a que suene el teléfono. ¿Queremos ceder el control de nuestra generación de pistas de venta hasta tal punto?

TRES PASOS PARA LLEGAR AL CIELO DE LAS REFERENCIAS

¿Qué conforma una buena referencia de calidad? En mi opinión, hay tres pasos para llegar al cielo de las referencias:

► Primer paso: La persona que nos recomienda identifica a alguien que tiene un problema que nosotros podemos solucionar.

► Segundo paso: Hablan con nuestro cliente potencial, que está interesado en hablar con nosotros.

► Tercer paso: Nuestro cliente potencial espera nuestra llamada.

Las referencias son la mejor forma de información comercial. Como una recomendación, son más poderosas que un "indicio" o una "pista" porque nuestro posible cliente nos conoce antes de mantener la conversación. A diferencia de las recomendaciones, nosotros controlamos la conversación; en lugar de ser nosotros los que esperemos a que suene el teléfono, nuestro cliente potencial es quien espera nuestra llamada.

Nota: Las referencias son la mejor forma de información comercial.

El mayor error que cometen las empresas es aceptar ciegamente indicios, pistas y recomendaciones cuando podrían mejorar la calidad de la información que reciben y, de ese modo, la calidad de las referencias. Si nuestra relación es suficientemente sólida y alguien nos ofrece un indicio, intentaremos averiguar más sobre el cliente potencial. Si nos proporcionan un nombre y un número, preguntaremos si podrían presentarnos. Asimismo, si nos dicen que nos han recomendado, preguntaremos si podemos presentarnos.

Nota: El mayor error que cometen las empresas es aceptar ciegamente indicios, pistas y recomendaciones cuando podrían mejorar la calidad de la información que reciben y, de ese modo, la calidad de las referencias.

Después de todo, si alguien confía en nosotros lo suficiente como para compartir dicha información o para recomendarnos, ¿estarían dispuestos a dar el siguiente paso y facilitarnos aun más las cosas con una presentación?

Una manera muy sencilla, aunque eficaz, de que nos presenten es enviando un correo electrónico en el que aparezcan las dos personas en el texto, compartiendo los números de teléfono si procede.

Si nuestro valedor ya ha hablado con nuestro cliente potencial anteriormente, debería ser muy fácil redactar el correo electrónico, mencionando nuestras respectivas conversaciones y haciendo la presentación.

Más adelante, en este libro, veremos un correo electrónico básico que suelo enviar.

El tercer paso es el que marca la diferencia, nuestro posible cliente está esperando nuestra llamada. Por muy bienintencionada que sea la presentación, en la que podemos utilizar el nombre de alguien para comenzar la conversación, es muy difícil realizar llamadas no solicitadas. Cuándo alguien nos llama inesperadamente, ¿cómo de receptivos nos mostramos a lo que tienen que decirnos?

Muy pocos podemos admitir estar completamente abiertos cuando sucede algo así, especialmente si estamos ocupados cuando suena el teléfono. Nos gusta saber con antelación por qué nos están llamando y no nos conviene mantener una discusión con ellos. De lo contario, tendemos a ser, por naturaleza, defensivos.

Nota: Nos gusta saber con antelación por qué nos están llamando.

Como demuestra mi propia experiencia con la asociación comercial que mencionamos en apartados anteriores, tenemos muchas más posibilidades de conseguir una reunión y, por tanto, convertirla en una venta cuando nos han puesto en contacto a través de una referencia. Tenemos el control de la conversación desde el principio, tenemos un conocimiento de cuáles pueden ser las dificultades y tenemos la oportunidad de realizar una investigación antes de llamarles.

Si alguien se interesa por nuestros servicios, siempre es mejor si podemos llamarles una vez tengamos la información delante de nosotros y una idea clara de lo que queremos conseguir con la llamada, en lugar de recibir una llamada inesperada de alguien preguntándonos qué podríamos hacer por ellos.

Sé que cuando se realice esa llamada causaremos mejor impresión, pareceremos más profesionales y resolutivos y podremos dar con la clave de sus problemas mucho más rápido.

Cuando nos ofrecen una referencia sólida, deberíamos asegurarnos de estar informados sobre lo que conocen de nuestro trabajo antes de llamarles, y mencionar de nuevo la cuestión con ellos cuando hablemos asegurándonos de que estamos en perfecta sintonía. Si conocemos cuál es su problema y cómo podemos solucionarlo antes de realizar la llamada, podremos estar mucho mejor preparados para hacer las preguntas adecuadas y sugerir los próximos pasos que se tienen que dar.

CONOCER A LA PERSONA CORRECTA, EN EL MOMENTO ADECUADO

Hace quince años solía realizar muchas llamadas y visitas en frío.

Al principio lo hice en varios trabajos cuando estuve viajando por Australia y, después, cuando regresé al Reino Unido vendiendo espacios publicitarios para una empresa editorial.

Lo que aprendí rápidamente cuando realizaba visitas en frío era que el objetivo principal no consistía tanto en aproximarse como en entablar la conversación. Era obligatorio hablar siempre con el responsable de la toma de decisiones y no revelar nuestras cartas demasiado pronto a la persona equivocada, que estaría más que feliz de tomar una decisión en nombre de su jefe.

Nota: Era obligatorio hablar siempre con el responsable de tomar las decisiones.

El problema era que, especialmente en las compañías más grandes, casi siempre teníamos que pasar por el "guardián", en forma de telefonista o de ayudante personal del responsable.

En mis diferentes funciones, muchos de mis compañeros solían cometer uno de los dos errores más importantes con estos "guardianes". O intentaban pasar insistiendo en hablar con el responsable o bien soltaban su argumento de ventas a la persona equivocada.

El trabajo del "guardián" consiste en seleccionar las llamadas no solicitadas.

Ellos no están para responder a preguntas, por lo que no pueden ayudarnos a determinar si la empresa necesita nuestro producto o servicio. Sólo quieren que les digamos cuál es nuestro negocio antes de decidir si nos pasan o no con el responsable.

En la mayoría de los casos la respuesta es "no" cuando la llamada es inesperada y el resultado previsible es un argumento de ventas.

Aunque mis llamadas se dirigían al consumidor final, propietario de la vivienda, propietarios de pequeños negocios o responsables de tomar las decisiones, tenía que superar muchos obstáculos antes de poder transmitir mi mensaje.

¿Cómo de receptivos somos a las visitas o llamadas de ventas no solicitadas?

Aunque he trabajado durante años como comercial, sigo sin prestar la suficiente atención a los teleoperadores. Solemos desconfiar de las llamadas que nos hacen personas que no conocemos. Muchos de nosotros no tenemos tiempo, y no estamos dispuestos a dar a un extraño, que nos ha llamado inesperadamente, la oportunidad de determinar nuestras necesidades y que nos obliga a centrarnos en su mensaje.

Nota: Solemos desconfiar de las llamadas que nos hacen personas que no conocemos.

Ahora vamos a comparar este proceso con una presentación realizada por un tercero. Si nuestro cliente potencial confía en la persona que nos presenta, es mucho más probable que confíen en nosotros.

Nota: Aunque no conozcamos inicialmente el propósito de la presentación o de la conversación, es más probable que le demos nuestro tiempo y escuchemos a una persona si nos la ha presentado un compañero de confianza.

Aunque no conozcamos inicialmente el propósito de la presentación o de la conversación, es más probable que le demos nuestro tiempo y que escuchemos a una persona si nos la ha presentado un compañero de confianza.

Si la presentación se realiza cuando necesitan de verdad nuestros servicios, también hay más posibilidades de que el timing sea el adecuado. Cuando realizamos una visita o una llamada en frío no sabemos si necesitan o no nuestra ayuda en ese momento. No nos debe sorprender que la tasa de respuesta de las llamadas en frío sea tan baja.

Si alguien nos está recomendado, la necesidad ya se ha determinado y podremos confirmar la necesidad antes de centrar nuestra conversación en la solución que proporcionaremos. Además, si la referencia se ha establecido correctamente, los clientes estarán esperando nuestra llamada, y es mucho más probable que consigamos sortear al "guardián".

Una presentación por referencia también implica que tenemos más posibilidades de asegurarnos una reunión desde nuestra llamada inicial, aumentando las probabilidades de convertir la referencia en un negocio.

Las referencias nos proporcionan un camino más corto hacia el mercado y con menos resistencia que otros tipos de marketing.

A pesar de eso, es muy probable que la única estrategia que implementan la mayoría de las empresas para llegar al mercado sea el boca a boca. Creo que es el momento de cambiar.

> **Nota:** Las referencias nos proporcionan un camino más corto hacia el mercado y con menos resistencia que otros tipos de marketing.

RESUMEN

En este capítulo hemos analizado lo siguiente:

1. Por qué cada negocio necesita establecer una estrategia de referencias sólida.

2. Identificar una referencia auténtica y comprender qué representa una buena referencia de calidad.

3. Realizar el cambio:

   ▶ Buscar referencias de calidad.

   ▶ Buscar al contacto adecuado.

   ▶ Encontrar el momento adecuado.

2. El papel del networking

A menudo se malinterpreta el término networking, que aparecerá a lo largo de este libro ya que sostiene cualquier estrategia de referencias eficaz. Después de todo, sin una red de contactos, no nos pueden recomendar.

> **Nota:** Sin una red de contactos, no nos pueden recomendar.

Existen dos tipos de networking. El primer tipo es el que realizamos todo el tiempo y que afianza nuestra estrategia de referencias. Tenemos un circulo personal que llamaremos red de contactos (network) compuesta por familiares, amigos, contactos de negocios, contactos sociales y personas con las que mantenemos una relación más imprecisa.

Sin dicha red, no puede existir una estrategia de referencias, puesto que las personas que nos van a recomendar tienen que estar relacionadas con nosotros de alguna manera.

Cuando la mayoría de la gente escucha el término networking, tienden a pensar en el segundo tipo, es decir, las oportunidades más formales que las redes profesionales les ofrecen, ya sea a través de Internet o en persona. Pensamos en extraños reuniéndose y dirigiéndose unos a otros, presentaciones de un minuto, descripciones rápidas y el intercambio de tarjetas de visita.

Para mí, el networking tiene que ver con el apoyo que las personas pueden ofrecerse mutuamente, ayudándose entre sí para lograr desarrollar nuestro potencial individual y colectivo. Se trata de un proceso en el que podemos compartir nuestra experiencia, conocimientos, contactos, ideas y retroalimentación (feedback) con aquellos que lo necesitan y en el que nos podemos beneficiar, a su vez, de las aportaciones de otras personas.

Los encuentros y sitios Web de networking dan forma a ese proceso y crean una oportunidad para acceder a dicho apoyo.

> **Nota:** El networking tiene que ver con el apoyo que las personas pueden ofrecerse mutuamente ayudándose entre sí para lograr desarrollar nuestro potencial individual y colectivo. Se trata de un proceso en el que podemos compartir nuestra experiencia, conocimientos, contactos, ideas y retroalimentación (*feedback*) con aquellos que lo necesitan y en el que nos podemos beneficiar, a su vez, de las aportaciones de otras personas.

EL MITO DEL NETWORKING

Es el momento de destruir algunas ilusiones. Lo siento pero los grupos de networking no producen referencias.

Podemos sentirnos decepcionados si hemos pasado mucho tiempo y gastado dinero uniéndonos a grupos con la esperanza de generar nuevos negocios. Horas malgastadas en desayunos de trabajo, almuerzos y charlas sobre aperitivos cuando podríamos haber visto "El Aprendiz", ¡qué pérdida de tiempo!

Antes de que nos entre el pánico y abandonemos todas nuestras asociaciones, debemos tener paciencia. ¡No he dicho que "todo" sea una pérdida de tiempo!

El mito consiste en pensar que los nuevos negocios vienen directamente de los grupos de networking. Debido a esa leyenda, es una práctica habitual unirse a un grupo, presentarse durante algún tiempo y después preguntarse por qué no hemos obtenido resultados. Lo cierto es que los grupos de networking sólo son el punto de partida; la mayoría de los negocios que se hacen y la mayoría de las relaciones que se crean se basan en los acuerdos construidos fuera de las reuniones.

> **Nota:** Los grupos de networking sólo son el punto de partida.

Este hecho permanece si analizamos un grupo de networking en línea o un grupo en el que los miembros se reúnen en persona. En ambos casos, tenemos que desarrollar relaciones sólidas con los miembros y eso implica pasar tiempo de calidad con ellos.

Debemos prestar especial atención a la importancia de la profundidad de las relaciones que se desarrollan a través del networking. Sí, es importante construir una red de contactos amplia y diversa, aunque el verdadero poder procede de las personas que nos conocen, nos caen bien y confían en nosotros. Ése es el momento en el que las personas se esforzarán por apoyarnos, cuando la gente querrá recomendarnos con sinceridad, cuando las personas buscarán las oportunidades adecuadas.

Las referencias y el apoyo no proceden de los grupos de networking sino de nuestra red de contactos (véase la figura 2.1).

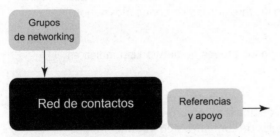

Figura 2.1. De dónde procede realmente el apoyo.

Como ya hemos establecido, existen dos entidades distintas. Nuestra red de contactos consta de personas con las que mantenemos relaciones, ya sean contactos personales o personas que conocemos a través de los negocios. Dependiendo de la solidez de nuestra relación, estas personas serán las que querrán apoyarnos con más fuerza, y los grupos de networking son, simplemente, una forma de "alimentar" a esa red de contactos.

Nota: Las referencias y el apoyo no proceden de los grupos de networking sino de nuestra red de contactos.

Si podemos concentramos en esta idea, podremos enfocar nuestra permanencia en los grupos de networking de una forma diferente. En lugar de buscar un "éxito" individual, personas con las que inmediatamente vemos la oportunidad de trabajar o vender, buscaremos a personas a las que nos gustaría conocer mejor. Pasaremos tiempo hablando con ellas, manteniendo reuniones fuera de la red de contactos y desarrollando una amistad real. Si lo conseguimos, contaremos con ellos como parte fundamental de nuestra red, en lugar de ser únicamente miembros del mismo grupo.

Esta práctica puede cambiar todo nuestro enfoque sobre los encuentros.

En lugar de escudriñar la sala para buscar personas que pudieran estar relacionadas con nuestro negocio, podemos concentrarnos en encontrar "amigos".

Cuando buscamos contactos personales, personas con las que llevarnos bien, pasamos del "modo" negocios y, en su lugar, empezamos a relajarnos, e incluso a disfrutar. Además, hace que seamos más atractivos para otras personas, que están hartas de que les intenten vender algo, y facilita la creación de las relaciones que estamos buscando.

La desventaja de depender de los grupos de networking, o redes de contactos en línea radica en el número de personas presentes. A menos que pertenezcamos a un pequeño grupo de mastermind, hay pocas oportunidades de mantener conversaciones en profundidad con los miembros y de conocerlos mejor.

> **Nota:** La desventaja de depender de los grupos de networking radica en el número de personas presentes.

Esta desventaja dificulta la creación de una relación profunda siendo poco probable que desarrollemos los niveles de confianza y entendimiento que faciliten referencias y apoyo mutuo. Por lo tanto, no resulta sorprendente que la gente que centra el networking completamente en las reuniones tenga dificultades para aprovechar el potencial de su pertenencia a un grupo.

Vamos a analizar un típico desayuno de trabajo centrado en la obtención de referencias. Si hay cuarenta miembros presentes, una hora de la reunión se dedicará aproximadamente a las presentaciones. Cabe la posibilidad de mantener breves conversaciones antes y durante el desayuno. Al mismo tiempo, siempre hay miembros que abandonan la reunión tan pronto como finaliza la parte ceremonial. Normalmente, no volverán a verse otra vez hasta la semana siguiente.

No existen muchas diferencias con los encuentros más amplios y menos frecuentes, como por ejemplo los organizados por las Cámaras de Comercio. Muchas personas pierden el tiempo intentando mantener reuniones con el mayor número de personas que sea posible, coleccionando tarjetas de presentación. Las conversaciones son fugaces, se aceleran los apretones de manos y se intercambian argumentos de ventas rápidos. Después, pasan a su siguiente víctima.

Si quisiéramos elegir a un nuevo representante legal, ¿informaríamos a alguien sólo porque nos hemos encontrado una vez en un grupo de networking? O ¿no sería más probable que consultáramos con alguien a quien conocemos bien o que viene recomendado por un compañero de confianza?

¿SUELES VENIR POR AQUÍ?

Debemos centrarnos en construir una relación para pasar de la primera reunión, sintiéndonos cómodos proporcionando referencias cualificadas y confiar en ellas implícitamente.

> **Nota:** Debemos centrarnos en construir relaciones.

Aquí es donde, desafortunadamente, fallan muchas personas que acuden a los encuentros de networking. La primera pregunta que más se suele repetir cuando conoces a alguien en un acto es ¿a qué se dedica? Desgraciadamente, esta pregunta es el equivalente en el networking de ¿sueles venir por aquí? No lo preguntamos con sinceridad, es una forma de romper el hielo y, para ser honesto, es el peor momento para hacer esa pregunta cuando a la persona que la realiza no le interesa nuestra respuesta. Y ¿por qué no le interesa?, porque todavía no nos conoce, no han establecido una relación con nosotros.

> **Nota:** La primera pregunta que más se suele repetir cuando conoces a alguien en un acto es ¿a qué se dedica? Desgraciadamente, esta pregunta es el equivalente en el networking de "¿sueles venir por aquí?".

Las personas que sucumben ante el mito del networking caen en la misma rutina siempre que conocen a alguien nuevo en un encuentro. Yo lo denomino "el baile del networking".

Para realizar el baile del networking, primero elegimos a nuestro compañero, a menudo se trata de alguien que es autosuficiente.

Para acercarnos a ellos, le damos la mano y una tarjeta de presentación y les preguntamos, "¿a qué se dedica?". A continuación, nos responden con un discurso de ventas muy bien urdido.

Al mismo tiempo que están presentando su argumento, esbozando todo lo que pueden hacer por nosotros en un perfecto discurso de sesenta segundos, nosotros examinamos atentamente su tarjeta de presentación, asentimos y sonreímos educadamente, y esperamos pacientemente a que terminen y nos den la misma oportunidad. Que, en la mayoría de los casos, lo hacen.

Después de terminar su discurso, dicen las palabras mágicas, "y, ¿a qué se dedica?". Ahora, nos toca a nosotros tomar la iniciativa en el baile, compartiendo nuestro argumento de ventas con ellos.

Cuando los dos terminamos nuestros discursos, nos damos la mano, sonreímos dulcemente y prometemos mantener el contacto. La mayoría de las veces, ninguno de los dos participantes sigue la pista, a menos que estén intentando vender, porque no se ha realizado ninguna conexión real.

> **Nota:** La mayoría de las veces, ninguno de los dos participantes sigue la pista.

Cuando comenzaba en el mundo del networking, solía disfrutar del "baile" tanto como cualquiera. Después, sucedieron dos hechos que hicieron que abriera los ojos.

El primero ocurrió en un encuentro en la New Zealand House en Londres. Conocí a alguien e inicié el baile, intercambiando tarjetas y preguntando a qué se dedicaba. Comenzó a presentarme su discurso y escuché atentamente. Cuando terminó esperé educadamente a que me preguntara a qué me dedicaba yo, pero no lo hizo. Me dio la mano y ¡se marchó!

Al principio, me sentí ofendido y, después, agradecido. Después de todo, sólo me había robado un minuto de mi vida que, por otra parte, ya lo había malgastado.

No tenía el menor interés en averiguar a qué me dedicaba, y, para ser honesto, a mí tampoco me importaba su trabajo en ese momento. Invertir tiempo para intercambiar argumentos de venta con alguien que no nos presta atención es completamente inútil, para ambas partes.

Aproximadamente un año después, di una conferencia en el Scottish Exhibition Centre en Glasgow. Uno de mis contactos en Edimburgo vino para reunirse conmigo y nos sentamos a tomar un café justo antes de que comenzara la conferencia, y me preguntó, "Andy, ¿a qué te dedicas en realidad?"

Le había conocido a través de una red de contactos en línea durante un par de años y nos habíamos reunido en dos ocasiones cuando iba a Londres. No habíamos hablado de negocios antes.

El tono de su pregunta me afectó; realmente quería conocer mi respuesta.

Prefiero que me pregunten a qué me dedico cuando están interesados en la respuesta y quieren sacar algo de la contestación, en lugar de preguntármelo como forma de romper el hielo.

Alguien puede preguntarlo sólo una vez, temiendo parecer estúpido si nos lo vuelven a preguntar cuando están interesados de verdad.

Nota: Soltar el argumento de venta directamente es contraproducente, es mucho mejor para nosotros crear la relación antes de preocuparnos por los detalles.

Los eventos de networking deberían centrarse en la identificación de las personas con las que tenemos buena relación o sinergia y, después, establecer los intereses en común. Soltar el argumento de venta directamente es contraproducente, es mucho mejor para nosotros crear la relación antes de preocuparnos por los detalles.

Antes dije que preferimos recomendar a las personas que "nos conocen, nos caen bien y confían en nosotros". Cuando conocemos por primera vez a alguien, no se interesan necesariamente por lo que hacemos nosotros. Lo más probable es que se centren en lo que podemos hacer por ellos.

Si alguien nos aconseja que debemos conocer nuestra proposición única de venta antes de acudir a un encuentro de networking, no tenemos que hacerle mucho caso. Lo que verdaderamente nos hace únicos cuando conocemos a una persona por primera vez es nuestra personalidad. Primero, tenemos que centrarnos en crear relaciones, debemos conseguir que la gente quiera saber a qué nos dedicamos porque les gustamos. Después, querrán saber cómo nos pueden ayudar.

NO PEDIR REFERENCIAS

A veces, en un evento de networking nos podemos encontrar con alguien que es el cliente ideal o que podría beneficiarnos de alguna otra forma. Lo difícil en este momento es reprimir nuestro instinto natural y concentrarnos en la relación en lugar de en la venta.

No estoy sugiriendo que debamos ignorar las señales de compra evidentes. En una ocasión, un conocido me dijo, "mi equipo necesita ayuda con el networking, tenemos que hablar". Habría cometido un error si no hubiera contestado.

Aunque, en la mayoría de casos, podría causar más mal que bien optar por el beneficio inmediato. Suelo reunirme con muchas personas dedicadas a prestar servicios profesionales, como abogados, asesores financieros y banqueros, cuando intento establecer contactos. Ofrezco un servicio en especial para personas que pertenecen a ese tipo de sectores por lo que, como se puede suponer, me asalta la tentación de vender la primera vez que me reúno con ellos.

Nota: Podría causar más mal que bien optar por el beneficio inmediato.

Reconozco, no obstante, que es posible que no estén preparados para "comprar". No me conocen ni confían en mí en ese momento y, si se encuentran en un evento de networking, cabe la posibilidad de que no estén buscando nuevos proveedores. Intentar vender al principio de la reunión, la mayoría de las veces, es contraproducente.

Si intervenimos e intentamos realizar una venta o pedir una referencia inmediatamente, aunque se trate de una cualificada, corremos el riesgo de parecer demasiado agresivos. Este comportamiento podría retrasar la relación antes incluso de que empiece a funcionar.

Debemos centrarnos en ganar la confianza de la gente y preguntarnos, ¿preferimos una vaga presentación cualificada en lugar de una referencia completa? ¿Preferimos realizar una venta rápida o crear una relación duradera basada en múltiples referencias y operaciones comerciales?

DESEAMOS TRABAJAR CON LAS PERSONAS QUE NOS GUSTAN

La única manera de que funcionen nuestros contactos es si los desarrollamos a través del tiempo. Esto significa que debemos dedicarles tiempo fuera de las reuniones para mantener mejores conversaciones. Suelo emplear ese tiempo para relacionarme socialmente con los participantes. No entro en las reuniones individualizadas con un plan previo a menos que exista una razón en concreto para hacerlo. Quiero averiguar más sobre la otra persona como individuo y, si puedo, conectar con él.

Después de todo, necesitamos tener en nuestra red de contactos a personas que nos caigan bien y con las que tengamos algo en común. Con el tiempo podremos averiguar más detalles sobre los negocios de los demás, los desafíos a los que nos enfrentaremos y las presentaciones que buscamos.

A menudo, los grupos de networking crean en sus miembros la necesidad de mantener reuniones cara a cara con regularidad, lejos de sus encuentros. No basta con reunirse una vez y tachar a esa persona de nuestra lista; debemos recordar que queremos desarrollar una relación, y eso implica conversaciones frecuentes y permanecer en contacto. No tienen por qué ser reuniones entre dos personas, también podemos reunirnos en grupos pequeños.

Nota: Tendremos dificultades para aprovechar todo el potencial de nuestras iniciativas de networking si sólo nos centramos en los encuentros o reuniones promovidos por la organización.

Tendremos dificultades para aprovechar todo el potencial de nuestras iniciativas de networking si sólo nos centramos en las reuniones o encuentros promovidos por la organización.

Debemos identificar a las personas que pueden justificar su posición dentro de nuestra red de contactos y desarrollar nuestra relación en otro lugar.

EXCESO DE NETWORKING

El año pasado, orienté sobre su estrategia al experimentado networker David Baum, presidente de la compañía Deanem Collections.

Como miembro de varios grupos de networking, David asistía a cinco desayunos de trabajo por semana, a un par de comidas y, en ocasiones, también participaba en reuniones vespertinas.

A pesar de sus esfuerzos, había contratado a alguien para concertar entrevistas de negocios a través de llamadas y visitas en frío, y me explicó que necesita un vendedor porque tenía muchos problemas de agenda.

David basaba sus negocios en sus actividades de networking y pensaba que le funcionaba bien aunque, en mi opinión, algo iba mal. Sin duda, una persona con esa cantidad de actividades no debería depender de las llamadas en frío.

Tal y como vimos en un capítulo anterior, podría utilizar las llamadas en frío si esta práctica complementara sus otras actividades de desarrollo comercial, pero confiaba en ellas a pesar de mantener un gran nivel de encuentros de networking.

Creía que podría emplear su tiempo de forma más eficaz.

Le sugerí que dos o tres mañanas por semana, en lugar de asistir a un desayuno de networking, debería organizar una reunión con una persona clave de su red de contactos o con un pequeño grupo de ellas.

En mi opinión, concentrase en desarrollar relaciones más solidas con un pequeño grupo de contactos de confianza debería reportar mayores beneficios que asistir simplemente a tantos eventos de networking.

> **Nota:** Desarrollar relaciones más solidas con un pequeño grupo de contactos de confianza debería reportar mayores beneficios.

David se dio por enterado y empezó a reconocer que no estaba valorando su tiempo convenientemente. Un par de meses después me comentó que el nuevo enfoque ya le estaba dando beneficios, con un compromiso de entrevista junto a un interlocutor del Bank of England y una reunión de trabajo que procedía de un networking más específico. Me dijo que ahora era mucho más consciente de cómo invertía su tiempo y que enfocaba su actividad más productivamente, y estaba encantado de delegar más trabajo "en frío" en otras personas.

Llega un momento en nuestra relación con la gente en el que se sienten encantados de recomendarnos o están preparados para averiguar más información que les permita ayudarnos mejor.

¿Cuánta gente conocemos que pasaría gustosamente más tiempo informándose sobre nuestro negocio y poniéndonos en contacto con personas de su red de contactos, y a la que nunca hemos preguntado?

Es un error concentrarnos en crear una red de contactos antes de utilizar la que ya tenemos. Más adelante, analizaremos cómo podemos identificar a las personas con las que tenemos que reunirnos y cómo reconocer quién está en disposición de conectarnos dentro de nuestros contactos actuales.

Nota: Es un error concentrarnos en crear una red de contactos antes de utilizar la que ya tenemos.

RESUMEN

En este capítulo hemos analizado lo siguiente:

1. La diferencia entre una red de contactos y un grupo de networking.

2. La importancia de tener objetivos claros que den lugar a una actividad de networking específica.

3. La importancia de desarrollar relaciones sólidas:

   ▶ Grupos de networking como punto de partida.

   ▶ Reuniones cara a cara.

   ▶ Evitar el exceso de networking.

3. Los métodos actuales no funcionan

En una reunión que mantuve con los miembros del departamento de ventas de un cliente, me dijeron que eran conscientes de la importancia de las referencias. Ellos conocían el valor de las referencias para sus negocios y recordaban constantemente a su equipo de ventas que pidieran a sus clientes recomendaciones y referencias.

Sin embargo, existe una gran diferencia entre conocer la importancia de las referencias y tener una estrategia de referencias. Después de hacerles unas cuantas preguntas, se dieron cuenta de que quizás no eran tan sólidos en la producción de referencias y que estaban desaprovechando nuevos negocios.

La verdad es que incluso las compañías que comprenden la importancia del marketing boca a boca están perdiendo una cantidad considerable de nuevos negocios. Se están perdiendo ventas porque las empresas no están solicitando los contactos que necesitan. Los métodos actuales para generar referencias están anticuados, mal concebidos y no sirven para aprovechar todo el potencial de una sólida estrategia de referencias.

> **Nota:** Existe una gran diferencia entre conocer la importancia de las referencias y tener una estrategia de referencias.

¿A QUIÉN MÁS CONOCES?

He comprobado que, donde se establece una estrategia de referencias, la mayoría de las veces se trata de un plan que los expertos en ventas han enseñado durante años. En el año 2008 di una charla a aproximadamente 50 gestores de patrimonio de Europa, Oriente Medio y Asia en un importante banco de inversión. Pedí a los asistentes que levantaran la mano si tenían un plan estratégico para generar referencias. De entre todos los presentes, sólo uno levantó la mano.

Incluso antes de preguntar, pude adivinar cómo sería la estrategia de esa persona. Sabía que el gestor de patrimonio en cuestión pediría referencias al final de las reuniones de ventas.

Pediría referencias si a su cliente potencial le estuviera gustando lo que le están ofreciendo, no importa si había comprendido claramente los beneficios y si conocía a las personas que también se beneficiarían de dicho servicio. Yo tenía razón. ¡Eso era exactamente lo que estaba haciendo!

Esta forma de pedir referencias se ha enseñado en ventas durante años. Así como también su utilización por parte de los departamentos de ventas, es una parte principal del método utilizado por muchas compañías MLM (Multi-Level Marketing, Marketing multinivel). El objetivo de cualquier reunión es salir con una lista de clientes potenciales. A menudo, este objetivo parece ser más importante que el cliente potencial que está delante del vendedor.

En una ocasión me topé con un distribuidor de una compañía MLM interesado en averiguar si podía cambiar el método tradicional que utilizaba su compañía para generar referencias. A todos los nuevos distribuidores les enseñaban el sistema de la empresa para generar referencias. En pocas palabras, el sistema era un juego de números. Al final de cada reunión con un cliente potencial, el distribuidor tenía que pedir los nombres de diez personas que también podrían estar interesadas en el negocio. Todo lo que necesitaban era los nombres y los números de teléfono, el distribuidor haría el resto.

Mi contacto pensaba que resultaría difícil cambiar el método promovido por los fundadores de la compañía. Después de todo, funcionaba. Si cada entrevista producía diez nombres y, de ellos, el distribuidor puede convertir tres en entrevistas y conseguir diez nombres más al mismo tiempo, los números se acumulan.

Esta no es una estrategia para generar referencias. En el mejor de los casos se trata de un plan para conseguir pistas de venta y, según mi experiencia, tampoco serán pistas de venta especialmente sólidas.

Éste podría parecer un ejemplo extremo pero diría que el método que acabamos de ver es muy parecido al que enseñan en muchos cursos de ventas. Produce resultados; si no fuera así, no habría perdurado durante tanto tiempo. Aunque sostengo que esos resultados se pueden mejorar ampliamente sin emplear demasiado esfuerzo mediante una estrategia de referencias más desarrollada y mejor orientada.

Nota: Los resultados se pueden mejorar ampliamente sin emplear demasiado esfuerzo mediante una estrategia de referencias más desarrollada y mejor orientada.

EL MOMENTO EQUIVOCADO

La estrategia que acabamos de describir presenta deficiencias, resulta demasiado impaciente, imprecisa y mal coordinada. La construcción de peticiones de referencias en el proceso de ventas está mal enfocada. En la fase de conversación, nuestro cliente potencial no ha adquirido la suficiente confianza en nosotros o bien en el conocimiento sobre nuestro producto como para comprarlo por primera vez, y mucho menos la confianza para recomendarnos a otros en su red de contactos.

> **Nota:** La creación de peticiones de referencias en el proceso de ventas está mal enfocada.

¿Nos acercaríamos a un desconocido en la calle y le pediríamos una recomendación para nuestro negocio? Entonces ¿por qué preguntar a clientes potenciales antes de que se conviertan en clientes fijos? El cliente potencial interesado en las referencias que mencionamos con anterioridad, al comienzo del capítulo, pensaba que su compañía tenía una sólida política de peticiones a todos sus nuevos clientes. Sólo después de nuestra reunión, fue consciente de que sólo pedían referencias a sus clientes una vez en el transcurso de su relación, al comienzo, antes de que se conocieran entre sí. Antes de haber establecido cualquier tipo de confianza.

No disponían de una estrategia para solicitar referencias a los clientes consolidados, personas que tienen niveles de confianza en su distribución más sólidos y mayor conocimiento de cómo trabajan. En muchos casos, los beneficios por utilizar un producto o servicio se volvieron más evidentes con el paso del tiempo.

Entonces ¿por qué solemos pedir en lugar de experimentar esos beneficios por las referencias?

Como veremos a lo largo del libro, la confianza y el conocimiento son dos de los principios básicos de una buena estrategia de referencias. Tenemos que generar confianza con las personas antes de pedirles que nos recomienden si queremos presentaciones de buena calidad.

Conseguiremos una calidad de referencia diferente si las personas confían en nosotros. Es una cualidad inherente al ser humano. Las personas están menos predispuestas a compartir sus contactos clave con nosotros, o a promocionarnos apasionadamente, si no han experimentado nuestros servicios o han aprendido a confiar en nosotros. En las primeras etapas de una relación, durante el proceso de venta inicial en el que tantos comerciales piden referencias, todo lo que escuchan son promesas.

Teniendo esto en mente, lo mejor que podemos esperar de una primera reunión es un nombre y un número. Por esta razón, denomino a este método "generación de pistas" en lugar de generación de referencias. Ambos conceptos son partes válidas de cualquier programa de desarrollo comercial pero el riesgo de confundirlos puede provocar que nuestra compañía acabe teniendo una estrategia de referencias mucho menos sólida y nuestros comerciales persigan pistas cuyo seguimiento implica más tiempo, esfuerzo y mayor dificultad para transformar en ventas.

Otra razón por la que discrepo de este famoso método para solicitar referencias es que cambia el dinamismo de la conversación en un punto clave. A menudo se enseña que un buen vendedor debe centrar sus argumentos de venta en el cliente potencial, y no en ellos mismos. Debe establecer una necesidad que tenga el cliente potencial, explicar cómo sus productos le ayudarán a resolver esa necesidad y explorar los beneficios de dicha actuación. Es un enfoque positivo que deja a nuestro posible nuevo cliente con una sensación agradable porque la reunión se ha centrado en él.

Con un sólo golpe, podemos destruir esa sensación y cambiar la impresión que hemos dejado pidiendo referencias. De repente, todo se centra en nosotros y, al final de la reunión, esa es la impresión que dejaremos. Y lo que es peor, podemos perder la buena relación que hemos construido con el cliente porque solicitar referencias en esa fase crucial de la conversación puede percibirse como si todo el tiempo se hubiera tratado de una relación de contrapartida, quid pro quo. Primero intentamos venderles algo y ahora queremos que ellos realicen nuestras ventas por nosotros.

Nota: Podemos perder la buena relación que hemos construido.

Por la misma razón creo que no deberíamos pedir referencias después de una reunión con el cliente cuando el objetivo consiste en analizar sus problemas y sus negocios.

El impacto de toda nuestra ayuda puede reducirse por pedir su apoyo a cambio en ese preciso momento.

Existen distintas maneras de escoger el momento adecuado (timing) para solicitar nuestras referencias y las analizaremos en detalle posteriormente.

ESPERAR A QUE SUCEDA ALGO

La mayoría de las compañías, sin embargo, no llegan a los extremos que hemos descrito anteriormente para pedir referencias.

A lo largo de los años he organizado muchos seminarios y cursos de formación sobre estrategias de referencias. He preguntado a muchas personas de negocios de dónde proceden sus mejores y más eficaces pistas de venta, y la gran mayoría siempre responde que del "boca a boca", "las recomendaciones" o "las referencias". Sin embargo, cuando les pido específicamente que me describan qué estrategia tienen establecida, no recibo ninguna respuesta.

Por lo general, las empresas creen que si prestan un buen servicio, sus clientes las recomendarán de modo natural. Se trata de un planteamiento pasivo y, en realidad, es poco probable que se ofrezcan referencias de calidad.

Nota: Por lo general, las empresas creen que si prestan un buen servicio, sus clientes las recomendarán de modo natural. Se trata de un planteamiento pasivo y, en realidad, es poco probable que se ofrezcan referencias de calidad.

Una investigación dirigida por la Tel Aviv University en el año 2005[1] descubrió que las malas noticias viajan dos veces más rápido que las buenas. Si echamos un vistazo a la portada de un periódico vemos que las malas noticias venden. Nos da algo de lo que hablar y, además, parece que la gente disfruta difundiendo malas noticias.

Esto no debería pillarnos por sorpresa, entonces ¿por qué los propietarios de las empresas están dispuestos a cruzarse de brazos y esperar a beneficiarse de un flujo de comentarios positivos y de referencias? Existe la creencia de que, si hacemos un buen trabajo, las personas nos recomendarán automáticamente, pero no es así de fácil. ¿Cuándo fue la última vez que fuimos a un restaurante, disfrutamos de la comida y del servicio y, después, les comentamos a todos nuestros amigos que tenían que comer allí?

Es muy probable que si la comida cumplió nuestras expectativas, le contemos a nuestros contactos que la noche anterior fue "agradable", aunque la mayoría de la gente no tomará la iniciativa de decirles a otras personas que visiten el restaurante.

Sin embargo, si hemos sufrido una mala experiencia, es probable que reaccionemos de manera completamente diferente. Me apuesto cualquier cosa a que entonces se lo diríamos a todos nuestros amigos, ¿verdad?

Lo cierto es que si queremos beneficiarnos de las referencias basadas sólo en la calidad de nuestro servicio, tenemos que superar considerablemente las expectativas y ofrecer a la gente una historia que no puedan evitar compartir (véase la figura 3.1).

---

[1] Podemos encontrar la investigación de la Tel Aviv University en la siguiente dirección Web http://www.goodnewsblog.com/2005/11/28/study-people-prefer-bad-news.

Nota: Ofrecer a la gente una historia que no puedan evitar compartir.

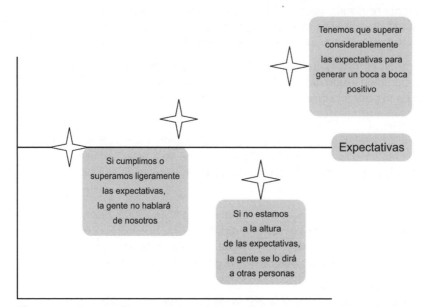

Figura 3.1. Expectativas y recomendaciones.

En mayo del año 2009 participé en una conferencia para la Academy for Chief Executives en el hotel Warren House en Kingston, a las afueras de Londres.

La víspera de la conferencia, Mike Burnage, director ejecutivo de la Academy for Chief Executives llegó con un invitado.

Se sentaron en el salón y pidieron al camarero unos bollos. El camarero comenzó a decirle a Mike que ya no quedaban bollos pero, en ese momento, se detuvo. Le dijo, "un momento, caballero", y se fue a la cocina. Unos pocos minutos después salió y dijo: "El chef está preparando bollos para ustedes".

Veinte minutos más tarde, el camarero reapareció con unos bollos recién hechos muy calientes.

¿Cómo me enteré de esta anécdota? Porque me lo dijo Mike, me contó una historia en la que el Warren House superaba con creces sus expectativas.

¿Con qué frecuencia esperamos que un hotel que no tiene bollos prepare varios para nosotros allí mismo?

Después transmití la misma historia a mis compañeros de cena, y se lo conté otra vez al público que asistió a mi conferencia del día siguiente.

Por supuesto, debemos ser conscientes del peligro que supone centrarnos sistemáticamente en superar las expectativas, ya que podemos cambiar la naturaleza de lo que la gente espera recibir de nosotros. A su vez, nuestros esfuerzos para producir lo excepcional, para estimular un boca a boca positivo, pueden provocar que sea más difícil cumplir las expectativas y tener más posibilidades de no estar a la altura de lo que se espera de nosotros. Resulta complicado encontrar el equilibrio y es algo que tenemos que manejar con mucho cuidado, de ahí la popularidad y la relevancia de la expresión "menos prometer y más cumplir".

Hace poco mantuve una conversación con un impresor sobre este tema y me explicó su método:

"Siempre me esfuerzo para entregar los trabajos cuando mis clientes los necesitan, desde luego nunca fuera de plazo pero tampoco antes. Es muy posible que ellos no quieran que se los entregue demasiado pronto.

Sin embargo, cuando sé que un cliente necesita un trabajo en concreto de forma urgente, hago lo imposible para entregárselo. Realizo un sobresfuerzo cuando sé que es importante para mi cliente, no lo hago cuando no tiene ninguna relevancia para ellos."

¿CUÁNDO FUE LA ÚLTIMA VEZ QUE PEDIMOS REFERENCIAS?

Si aceptamos que no podemos esperar a que la gente nos recomiende, debemos empezar a pensar más proactivamente. ¿Cuándo fue la última vez que pedimos referencias a un cliente?

Poca gente sabe cómo pedir referencias a los clientes y muchos se sienten avergonzados e incómodos cuando tienen que hacerlo. Nos preocupa parecer desesperados, o que piensen que estamos pasando por dificultades o que nos estamos imponiendo.

Nota: Poca gente sabe cómo pedir referencias a los clientes.

Si hemos hecho un buen trabajo y los futuros clientes pueden ver el beneficio, si hemos dedicado tiempo para construir relaciones sólidas con nuestros clientes, ¿realmente van a verlo como una imposición?

La verdad es que es más cómodo esperar una referencia bien merecida que ser proactivo y salir a pedir una. Aunque quedarse sentado y esperar no sea lo mejor para nuestro balance.

Un antiguo miembro de uno de los grupos de networking de los que solía formar parte vendió su empresa y comenzó a trabajar con una compañía de contabilidad ayudándoles con el marketing y el desarrollo comercial. Lo primero que hizo en su nuevo puesto fue escribir a sus clientes y hacerles una simple pregunta, ¿nos recomendaría?

El 80 por 100 respondió afirmativamente, a pesar de todo, la cantidad de nuevos negocios generados mediante referencias era tradicionalmente baja. Al principio parecía extraño, hasta que descubrió que había sido la primera vez que la firma había preguntado a sus clientes por referencias.

No basta con esperar a que la gente nos recomiende si están contentos. A no ser que seamos extraordinariamente afortunados, nuestros clientes no pensarán de ese modo y tenemos que ser mucho más proactivos si queremos generar flujos de referencias de buena calidad.

Aquí es donde entra en juego una buena estrategia de referencias de calidad, este tema lo analizaremos en profundidad en los próximos capítulos.

RESUMEN

En este capítulo hemos analizado lo siguiente:

1. Por qué todo negocio necesita establecer una estrategia de referencias sólida.

2. Cuándo "no" debemos pedir referencias:

    ▶ Crear confianza y entendimiento.

    ▶ Ser positivos, centrarse en nuestro cliente.

3. Realizar el cambio:

    ▶ Buscar referencias de calidad.

    ▶ Menos prometer y más cumplir.

4. El marketing intensivo no es la solución

LOS RIESGOS DEL MARKETING MASIVO

Si no podemos conseguir referencias pidiéndolas en el momento de la venta, o esperar a que los clientes satisfechos nos recomienden, ¿qué alternativa nos queda? En un capítulo anterior hablamos de un contable que escribió a sus clientes preguntando si estaban dispuestos a recomendarle, y el ochenta por 100 respondieron afirmativamente. Desafortunadamente, escribir a nuestros clientes y preguntarles no es la respuesta.

La práctica de escribir cartas que realizó el contable sólo indicaba que gran parte de la clientela de la empresa estaba encantada de recomendarles; no estimulaba un flujo de referencias.

Cuando las empresas se dan cuenta de que no tienen que ser más activos para generar un boca a boca positivo, a menudo recurren a métodos intensivos como el envío masivo de cartas a sus actuales clientes, campañas de correos electrónicos y planes de incentivos.

Estas prácticas rara vez producen resultados sólidos. Según el informe de junio del año 2010, Response Rate Trend Report[1], elaborado por la Direct Mail Association, los índices de respuesta para distintas campañas variaron desde el 1,01 por 100 hasta el 3,42 por 100, aunque las campañas de empresa a empresa funcionaron un poco mejor que las de empresa a consumidor.

Para comenzar, son campañas demasiado impersonales. Aun si usamos software que nos permita personalizar cada correo electrónico o carta, la gente sabe que están recibiendo correos colectivos. Por lo tanto, es probable que lo consideren

---

[1] https://imis.the-dma.org/bookstore/Productsingle.cfm?p=0D450174|
D1CA8598221BE6C7E964FABD9037A4EC.

menos prioritario que si les hubiéramos preguntado en persona, o simplemente los archivarán sabiendo de antemano que es poco probable que nos percatemos si no responden. Después de todo, están seguros de que alguien más lo hará.

Además, un envío masivo de cartas es una petición general que depende de una respuesta específica.

Simplemente, si enviamos un correo directo masivo y solicitamos después a nuestros clientes que hablen a sus contactos individualmente, les estamos pidiendo que hagan más por nuestros negocios de lo que estamos dispuestos a hacer nosotros mismos.

> **Nota:** Un envío masivo de cartas es una petición general que depende de una respuesta específica.

En el caso de los correos electrónicos, también existe el riesgo de que nuestros mensajes sean enviados a las carpetas de spam antes de que la gente los vea o que, al parecerse sospechosamente a un correo directo, puedan detectarse fácilmente y ser ignorados. Al fin y al cabo, el flujo del tráfico de correos electrónicos de la gente es alarmantemente alto hoy en día, y muchos optan por gestionar los correos importantes y descartar el resto.

El otro problema derivado de las peticiones generales es que, por su propia naturaleza, no van dirigidas exactamente a quién conoce la gente o cómo pueden ayudar. Todo lo que hacen es preguntar: ¿nos recomendaría?

La red de contactos de la gente cambia y, por tanto, tendrán la oportunidad de recomendarnos diferentes personas. Por ejemplo, uno de mis contactos conoce a muchos contables y le resulta fácil recomendarme a ellos, mientras que otro contacto tiene una red de empresarios. En lugar de compartir la misma petición con cada uno de ellos, si les pido referencias individualmente, podré adaptar mi mensaje a las personas que conocen.

En la mayoría de los casos, deberíamos tener mucho más éxito llamando por teléfono a cinco personas con peticiones concretas, adaptadas a sus redes de contactos, que enviando correos electrónicos masivos.

Es más fácil conseguir compras y compromisos de la gente con la que hablamos en persona, y podemos adaptar nuestras peticiones a su capacidad para ponernos en contacto facilitándoles el cumplimiento de su promesa de ayuda.

> **Nota:** En la mayoría de los casos, deberíamos tener mucho más éxito llamando por teléfono a cinco personas con peticiones concretas, adaptadas a sus redes de contactos, que enviando correos electrónicos masivos.

Como veremos más adelante, las peticiones indeterminadas tampoco tienen muchas posibilidades de éxito porque estamos poniendo demasiado trabajo y responsabilidad en la persona que nos está recomendando en lugar de facilitarles que lo hagan. Tienen que pensar en las personas que conocen y filtrar su red de contactos en consecuencia. Si pudiéramos ser más claros sobre a quién queremos conocer y especificarlo para nuestros actuales clientes, les resultaría más fácil identificar a una persona que conocen y realizar la conexión.

Sólo recomendaría el envío a los clientes de una carta o un correo electrónico masivo preguntando "¿nos recomendaría?" si después continuáramos utilizando ese primer grupo de respuestas para identificar a aquellos clientes que, con mayor probabilidad, nos podrían ayudar. Deberíamos pedir a la gente que indicara en una escala la probabilidad de recomendarnos y, a continuación, podemos centrar nuestros esfuerzos en las personas que han expresado una clara voluntad de hacerlo. Ahora es cuando aquellas conversaciones en persona adquieren verdadero valor.

PLANES DE INCENTIVOS

Los planes de incentivos son una técnica de generación de referencias muy popular que utilizan mayoritariamente instituciones compuestas por socios, como los gimnasios, sociedades comerciales y empresas de correo directo. Personalmente, he presentado miembros al Sunday Times Wine Club debido a su plan de incentivos, y solíamos organizar uno propio cuando trabajaba en una red de contactos comercial. Sin embargo, en general, creo que existen mejores formas de implicar a nuestros posibles valedores que mediante planes de incentivos.

En nuestros grupos de networking probamos varios métodos basados en incentivos pero la verdad fue que nuestros miembros no se sintieron motivados por un descuento en su renovación o por ofrecerles un cheque. Lo que realmente les motivó fue el valor que un nuevo miembro podría añadir a sus negocios, el deseo de mejorar la calidad de su grupo. Siempre obteníamos mejores resultados cuando colaboramos con los miembros para determinar a quién querían en el grupo, permitiéndoles participar en la selección en lugar de intentar recompensarles sólo por las referencias.

Uno de los peligros de los planes de incentivos, que descubrimos continuamente a nuestro pesar, es que la gente los olvida. A menos que ofrezcamos incentivos muy potentes, algo difícil si el valor medio de nuestra transacción comercial es bajo, no causarán suficiente impresión en los miembros como para que los recuerden. En consecuencia, tendremos que enviar continuos recordatorios sobre dicho plan, lo que puede sonar a desesperación.

También debemos saber qué motiva a la gente para que nos recomienden, lo que implica establecer primero los conceptos básicos.

Suelo ir a nadar a un gimnasio cerca de mi casa. Siempre están organizando distintos planes de incentivos para que sus socios lo recomienden. A pesar de todo, el número de miembros sigue siendo bajo y han recurrido al envío masivo de cartas al vecindario y a hacer grandes descuentos a los miembros que atraigan a nuevos clientes.

De modo que, ¿por qué no les están recomendando? Después de todo, piden referencias de manera regular y promocionan sus planes de incentivos activamente mediante carteles y a través del envío de cartas.

Creo que se debe a la calidad de su administración, el cuidado por los detalles y el nivel de su servicio al cliente. No hay semana en la que la sauna esté demasiado fría o demasiado caliente, que el spa no funcione, que se termine el gel de ducha o descuidos similares. El reloj exterior del vestuario no funciona desde hace tres años, mientras que el del interior siempre lleva cinco minutos de retraso.

Si éste es el nivel de atención que muestran a sus miembros actuales, ¿por qué querrían recomendar a alguien cuya opinión respetaran? En el modelo que vimos en un capítulo anterior, teníamos que cumplir, al menos, las expectativas de la gente antes de poder pedirles que nos recomendaran.

¿QUIÉN ES NUESTRA REFERENCIA IDEAL?

Al comienzo de este capítulo, mencioné que los enfoques masivos eran poco eficaces porque las peticiones no eran específicas. Suelen ser demasiado generales o no se adaptan a quien conoce la gente. Una de las principales lecciones que deberíamos aprender de este libro es la importancia de ser muy específico en nuestras peticiones, que dará como resultado el aumento de las probabilidades de conseguir referencias de calidad.

Para personalizar nuestras peticiones, lo primero que tenemos que hacer es determinar quiénes son nuestras referencias ideales. Después de todo, si no las conocemos, ¿cómo podemos esperar que nos ayuden otras personas? Antes de empezar a pedir a nuestra red de contactos que nos recomiende, dedicaremos tiempo a desarrollar los contactos que necesitamos y las peticiones que tenemos que realizar.

Nota: Lo primero que tenemos que hacer es determinar quiénes son nuestras referencias ideales. Después de todo, si no las conocemos, ¿cómo podemos esperar que nos ayuden otras personas?

Antes de que los individuos determinen las referencias que quieren establecer desde sus valedores, es importante que la empresa en su totalidad realice el ejercicio de identificar sus referencias ideales.

Si no se realiza el análisis primero desde un nivel institucional, puede dar lugar a un enfoque mucho menos eficaz desde el equipo en su conjunto.

En mis conferencias y seminarios suelo preguntar a los grupos quiénes son sus referencias ideales. La variedad de las respuestas es interesante aunque es evidente que pocas personas han considerado esta pregunta. La triste realidad es que la mayoría de nosotros interactuamos para buscar contactos sin tener una idea clara de quiénes podrían serlos.

Tampoco la respuesta es tan simple como la gente piensa. La mayoría de compañías ofrecen varios productos o servicios, por lo que las referencias tienen que adaptarse a las distintas áreas de la empresa.

> **Nota:** Las referencias tienen que adaptarse a las distintas áreas de la empresa.

Además, en muchas ocasiones, nos gustaría reunirnos con distintas personas, y ser recomendado a un posible cliente cada vez puede que no sea la forma más eficaz de generar nuevos negocios.

Por ejemplo, ¿sería más eficaz para nosotros reunirnos con un posible promotor de una serie de clientes en lugar de con un sólo cliente potencial? ¿Qué importancia tienen como contactos los mentores, asesores comerciales, fuentes de financiación o incluso compradores potenciales de nuestros negocios? ¿Qué importancia tienen para nuestros negocios los proveedores? Después de todo, hay dos partes en un balance comercial.

La tabla 4.1 enumera las posibles respuestas a la pregunta "¿quién es nuestra referencial ideal?". Utilizando esta tabla, evaluaremos la importancia de cada referencia para nuestros negocios en una escala del 1 al 10.

Tabla 4.1. Posibles respuestas a la pregunta "¿quién es nuestra referencial ideal?"

¿QUIÉN ES NUESTRA REFERENCIA IDEAL?	PUNTUACIÓN (1-10)
Una sóla transacción de valor medio-bajo	
Transacción de alto valor	
Cliente a largo plazo	
Promotor de nuevos negocios	
Proveedor	
Banquero	
Mentor/asesor comercial	

Nuestro método para conseguir referencias se sustenta en el conocimiento de la variedad de contactos que necesitamos. Cada persona posee una red de contactos diferente y, si tenemos una red diversa, deberíamos poder conectar con todas las personas necesarias para hacer que nuestro negocio progrese.

> **Nota:** Cada persona posee una red de contactos diferente y, si tenemos una red diversa, deberíamos poder conectar con todas las personas necesarias para hacer que nuestro negocio progrese.

Un método masivo para generar referencias no aprovecha la diversidad de la red de contactos que nos rodea. Una petición general no puede registrar docenas de contactos potenciales; solamente conseguiremos aumentar la posibilidad de que la gente elimine los correos electrónicos o que "archiven" nuestras cartas.

En su lugar, debemos desarrollar una estrategia que permita a cada persona de nuestra red conectarnos lo mejor que puedan. Dicha estrategia nos debería ayudar a concentrarnos en los contactos que necesitamos y encontrar la ruta más rápida para conseguirlos.

LAS REFERENCIAS SON LA RUTA MÁS EFICAZ PARA LLEGAR AL MERCADO

Naturalmente, las referencias no son la única ruta hacia el mercado y no estoy sugiriendo descartar cualquier otra opción y centrarnos totalmente en el boca a boca. Aunque se base en las referencias principalmente, nuestro modelo de marketing incluye elementos de muchas otras técnicas, y cada negocio debería combinarlas de la mejor forma posible.

No obstante, sigo pensando que una estrategia de referencias bien pensada e implementada proporcionará la ruta más eficaz, sólida y menos costosa para llegar al mercado.

Vamos a analizar las alternativas.

LLAMADAS EN FRÍO

Tradicionalmente, la llamada o visita en frío es un juego de números, con una gran inversión de tiempo para conseguir pocos beneficios. Gran parte de nuestro éxito futuro depende del valor del negocio que estamos buscando, las tasas de conversión que podemos esperar y el tamaño de nuestro mercado.

Nota: La llamada o visita en frío es un juego de números con una gran inversión de tiempo para conseguir pocos beneficios.

Si vendemos productos de bajo coste y necesitamos gran cantidad de ventas, un método masivo, como las llamadas en frío, puede que tengan sentido, aunque podemos seguir buscando referencias para grandes distribuidores. Del mismo modo, si el tiempo es un factor decisivo y necesitamos ventas de forma inmediata, el método directo es más eficaz que esperar a crear las relaciones de las que dependen las referencias.

El factor más importante que debemos tener en cuenta cuando emprendemos una campaña de telemarketing o de puerta a puerta es el coste que implica. Además del gasto telefónico, si procede, tenemos que considerar los salarios y el tiempo de las personas que buscan las ventas, así como también el coste por oportunidad que esas personas, o ese dinero, podría habernos proporcionado en otras circunstancias. Por esa razón, siempre pondré en duda la idoneidad de utilizar a nuestro mejor vendedor para realizar llamadas en frío.

Hace poco trabajé para una empresa manufacturera en la región de las Midlands (Inglaterra). La compañía llevaba dos años perdiendo dinero, el equipo de ventas casi había desaparecido y muchos de sus clientes también los habían abandonado. Cuando me incorporé sólo quedaban tres personas en el departamento de ventas.

Una de esas personas me dijo que una vez a la semana realizaba llamadas en frío para conseguir nuevos clientes. Le pregunté que cuántas reuniones semanales había conseguido a través de las llamadas en frío, y me contestó que, en un día normal de trabajo, podía lograr tres citas. A continuación, le pregunté que cuántas de esas reuniones se convertían en ventas. El número de ventas era tan bajo que no supo darme una cifra.

Le ofrecí una alternativa mucho más productiva. Le sugerí que, en lugar de malgastar un día a la semana realizando llamadas en frío, se centrara en construir relaciones con las personas que ya conocía y que podrían recomendarle.

Si dedicaba esas horas a reunirse con clientes que estuvieran satisfechos con el servicio que les ofrecía, con anteriores compañeros que le respetaran y con contactos del networking de industrias complementarias, y pedía referencias a esas personas, ¿cuántas reuniones más podría establecer?

Además de conseguir más reuniones, la proporción de esas reuniones que se convertirán en una venta debería aumentar, al igual que la permanencia de esos contactos como clientes. Creo que las personas que llegan a nosotros a través de una referencia están mucho más dispuestas a hacer negocios con nosotros que aquellas que se comprometen a vernos después de mantener una llamada en frío.

Nota: Las personas que llegan a nosotros a través de una referencia están mucho más dispuestas a hacer negocios con nosotros.

Si las referencias son sólidas, nuestro valedor ha determinado que necesitan lo que tenemos que ofrecer y nos ha proporcionado cierta credibilidad objetiva antes de mantener la reunión. Tendremos que dedicar menos tiempo a justificar nuestra presencia cuando nos reunamos y podremos concentrarnos inmediatamente en las necesidades del cliente potencial.

Con toda seguridad, esa persona estará más dispuesta a comprar que alguien al que hemos llamado al azar y no sabe nada de nosotros aparte de lo que les hemos contado.

Por lo tanto, en este caso, dedicar un día a la semana a realizar llamadas en frío es mucho menos productivo que dedicar un día a desarrollar una red de contactos que nos proporcionará referencias.

Esto no significa que debamos abandonar las llamadas en frío, aunque si se van a utilizar como la principal herramienta para generar pistas de venta, debemos asegurarnos de que estamos preparados para ser lo más eficaces posible.

Andy Preston, experto en ventas que reside en Reino Unido, enseña técnicas para realizar llamadas en frío a equipos del todo el mundo, cree que la llamada en frío sigue siendo un método imprescindible.

Cinco consejos prácticos de Andy Preston para realizar una mejor llamada en frío

Andy piensa que "la llamada en frío, como el networking, es una herramienta para generar pistas de venta" y "es una técnica que todo el mundo debería considerar como parte de su estrategia de desarrollo comercial. No obstante, si vamos a utilizarla, tenemos que hacerlo bien".

Pedí a Andy que me diera sus cinco consejos para realizar una mejor llamada en frío.

1. **Documentarse:** Averiguar información sobre nuestro cliente potencial utilizando Internet antes de llamar; identificar áreas comunes, como por ejemplo noticias o actos recientes que podamos mencionar.

2. **Prepararse:** Tener a mano todo lo que podamos necesitar antes de comenzar, por ejemplo, la agenda, lista de clientes potenciales, objeciones que tendremos que gestionar, la estructura de la llamada, etcétera.

3. **No preocuparse por las negativas:** Si nuestra lista de llamadas es "muy fría", la mayor parte de las respuestas serán "no" o "ahora no". No obstante, debemos recordar que no llamamos porque esperemos que "todo" el mundo responda "sí" sino para que "alguien" lo haga. Debemos concentrarnos en esta idea.

4. **Recordar nuestro objetivo:** ¿Estamos intentando conseguir una entrevista? ¿Una venta? Debemos diseñar nuestra llamada de tal manera que podamos conseguir nuestro objetivo.

5. **Obtener compromisos:** Sin un compromiso y sin el acuerdo de la persona a la que llamamos para dar un paso más en la relación, nuestra llamada probablemente no tendría sentido. Por lo que, ¡tenemos que conseguirlo!

```
http://www.andy-preston.com
```

Creo que lo realmente importante es analizar el coste de nuestro propio tiempo y el de nuestro principal equipo de ventas y preguntarnos si existe una manera más eficaz de utilizarlo. Analizaremos el número de llamadas que tenemos que hacer para conseguir una reunión y cuántas reuniones se convierten en ventas.

Si el rendimiento de la inversión en las llamadas en frío es mayor que el coste, entonces no hay duda de que puede ser una actividad adicional muy útil. Puede ser aconsejable recurrir a una empresa externa para realizar este trabajo en lugar de perder nuestros recursos más valiosos.

MARKETING DE RESPUESTA DIRECTA

Desde hace años, el envío masivo de cartas ha sido la práctica principal del marketing directo y, durante la última década, se ha incorporado el marketing por correo electrónico. El crecimiento del marketing por correo electrónico, junto con su bajo coste, ha provocado una reducción en el uso del envío de cartas físicas, aunque algunas compañías siguen utilizando este último método. De hecho, ya que los correos electrónicos han perdido eficacia debido a su utilización masiva, cada vez vemos más compañías que vuelven a enviar cartas y folletos por correo ordinario.

A pesar de que este procedimiento puede tener un fuerte impacto inicial, la eficacia del marketing por correo electrónico ha disminuido, debido a una serie de circunstancias. Las leyes de protección de datos se han endurecido, encareciendo la estrategia debido a la necesidad de listas auditadas y al riesgo de multas cuantiosas. También implica que las listas tienen que actualizarse continuamente, no podemos comprar una lista un año y seguir utilizándola para siempre.

Nota: La eficacia del marketing por correo electrónico ha disminuido debido a una serie de circunstancias.

Puesto que los correos electrónicos y sus lectores se han vuelto más sofisticados, cada vez se abren y se leen menos correos masivos. Muchos acaban en las carpetas de spam mientras que otros se eliminan directamente, son excluidos o "marcados para leer más tarde".

Seamos sinceros, ¿a cuántos correos electrónicos de los que guardamos para leer más tarde volvemos en realidad? Para muchos de nosotros, el crecimiento del tráfico de correos y la consiguiente pérdida de nuestro tiempo implica que casi nunca estamos dispuestos a dar prioridad al correo no solicitado.

Si pretendemos utilizar el marketing por correo electrónico, a pesar de lo que acabo de decir, muchas empresas lo utilizan con éxito, debemos ser creativos para conseguir mayor impacto.

Un método más sofisticado implica que el marketing por correo será mucho más caro y tendremos que dedicarle mucho más tiempo. Las páginas Web de ventas potentes se han vuelto muy populares, con copias diseñadas para que el visitante desee comprar. Actualmente, muchos envíos masivos de correos utilizan videos para atrapar al lector. Además, la mayoría de los correos electrónicos directos suelen ser mucho más eficaces si van acompañados de una llamada telefónica.

Podemos dirigir el envío masivo de cartas a determinados sectores de la población pero, al igual que las llamadas en frío, necesitamos tener un cierto grado de suerte con nuestro timing. Teniendo en cuenta que nos pueden recomendar a la gente porque tienen una necesidad concreta por lo que ofrecemos en ese momento, con el envío masivo de correo dependemos de que nuestro mensaje llegue al cliente potencial cuando tengan la necesidad y estén pensando en una solución.

Cuando esto ocurre es fantástico, pero la verdad es que también se ha perdido mucho tiempo por el camino.

Al igual que cualquier otra forma de marketing, hay que comparar el coste de nuestra campaña de envío masivo de correos con el resultado. Los expertos en marketing nos dirán que probemos diferentes métodos y descubramos el más eficaz. Si podemos encontrar un método que nos aporte beneficios, no hay ninguna razón para no ponerlo en práctica.

Hace poco tiempo, pregunté a Peter Thomson, uno de los principales estrategas de crecimiento personal y comercial de Reino Unido, sobre sus cinco consejos prácticos para cualquier negocio que esté considerando la utilización del correo directo como parte de su estrategia de networking.

Cinco consejos prácticos de Peter Thompson para utilizar el correo directo

1. **Evaluar:** Siempre debemos tener un "test" en cada campaña de respuesta directa (cartas, tarjetas postales, cupones, anuncios, correos electrónicos, etcétera). Éste puede ser el precio, bonificaciones, tiempo, extras, formas de pago, títulos, beneficios, etcétera. La forma de evaluar es preparar dos versiones de nuestra promoción (una con el precio A y otra con el precio B si, por ejemplo, estamos evaluando el precio) y comprobar cuál es la que obtiene más respuestas.

2. **Mantener un registro preciso:** La clave está en los detalles. Tenemos que medir siempre el valor constante del consumidor/cliente, no sólo los ingresos/beneficios del primer pedido.

3. **Seguimiento:** Tenemos que enviar una carta o un correo electrónico de "seguimiento" a la misma lista de personas de nuestra promoción original (tres días más tarde) porque suele aumentar la respuesta espectacularmente.

4. **Probar la motivación "negativa":** Prueba a utilizar en unos encabezados y asuntos de los correos electrónicos la "motivación negativa" (Cómo "evitar" los tres errores...) y en otros encabezados y asuntos la "motivación positiva" (Tres maneras "comprobadas" para...). A menudo, los encabezados de "motivación negativa" producen tasas de conversión superiores.

5. **Utilizar un lenguaje personalizado:** Siempre debemos usar un lenguaje personal. Por lo general, la gente lee en persona sus correos electrónicos/ correos directos/folletos/sitios Web, etcétera. No debemos utilizar expresiones genéricas como "alguno de ustedes..." o "todos nosotros..."; en su lugar, utilizaremos un lenguaje integrador.

http://www.peterthomson.com.

RELACIONES PÚBLICAS

Las relaciones públicas son una parte importante de nuestros negocios, aunque creo que funcionan mejor junto con otras prácticas de marketing y ventas que de manera independiente. Las relaciones públicas sólidas complementan las referencias perfectamente, como he descubierto en muchas ocasiones. Permitid que me explique.

Nota: Las relaciones públicas sólidas complementan las referencias perfectamente.

En los últimos años he escrito y me han citado varias veces en periódicos de Reino Unido. Además, han publicado mis artículos en distintos periódicos económicos y tengo una columna en el The National Networker, publicación Web de Estados Unidos.

No puedo atribuir muchos negocios directos a estas apariciones en prensa pero estoy seguro de que han influido en las decisiones de compra de mis clientes potenciales. Mis relaciones públicas comerciales han contribuido a crear mi imagen, consolidándome como un reconocido experto y fortaleciendo mi credibilidad.

Desde que el diario The Sun me apodó "Mr. Network" y el Financial Times dijo sobre mí que era "uno de los principales estrategas del networking comercial de Europa", mis clientes potenciales se sienten más seguros. He comprobado cómo muchas personas que me presentan a sus contactos hacen referencia a alguna de las dos citas que acabo de mencionar. Esto significa que se sienten más seguras a la hora de recomendarme puesto que su opinión se ha visto reforzada por fuentes conocidas.

Alan Stevens, director de MediaCoach.co.uk, reputado autor y experto en la forma de atender a los medios de comunicación, sugiere los siguientes consejos para sacar el máximo partido de nuestras relaciones públicas.

Cinco consejos prácticos de Alan Stevens para tratar con los medios de comunicación

1. **Ser constantes:** Las relaciones públicas no son una práctica excepcional. Debemos mejorar nuestra imagen y mantenerla mediante un flujo constante de historias, filtraciones e informaciones. No nos debe importar si alguna de nuestras historias nunca se publica. Tenemos que ser persistentes.

2. **Ser honestos:** Las exageraciones, y peor aún, las declaraciones falsas, a la larga se descubrirán. Utilizaremos las relaciones públicas para promocionar los beneficios de nuestros productos pero nunca presumiremos en exceso. No lo necesitamos.

3. **Ser interesantes:** Tendremos en cuenta la pregunta "¿y qué?". Si nuestras iniciativas no atraen al público deseado, estaremos perdiendo nuestro tiempo y dinero. Lo que a nosotros nos parece fascinante puede que no capte la atención de la gente a la que se lo intentamos vender, por lo que les preguntaremos qué les gusta.

4. **Ser relevantes:** Tenemos que asegurarnos de que nuestro mensaje sea beneficioso para el público. Pueden estar interesados (véase el punto 3) pero, para que actúen, el mensaje también tiene que ser relevante.

5. **Ser oportunos:** Existe un momento adecuado y un momento inoportuno para llevar a cabo las relaciones públicas. Podemos "aprovecharnos" de otro momento, o podemos utilizar un aniversario.

http://www.mediacoach.co.uk.

PUBLICIDAD

La técnica de marketing más importante durante años, la publicidad, ha tenido que evolucionar para captar la atención de los consumidores actuales. Aunque los medios de difusión como la televisión, prensa o carteles publicitarios siguen siendo una gran opción para crear marcas y establecer beneficios, la fragmentación de los canales de comunicación y el aumento de las alternativas de ocio han dificultado y encarecido más que nunca la llegada a un público masivo.

Por otro lado, el aumento de los canales publicitarios ha facilitado mucho el poder dirigirse al público ideal. Cada vez más revistas, canales de televisión y emisoras de radio se concentran en su público específico, limitando la población y reduciendo el coste, lo que les convierte en un sueño para los anunciantes siempre y cuando los números sean lo suficientemente elevados.

La publicidad en Internet, especialmente Google Adwords y a través de redes sociales como Facebook, ha permitido a las empresas dirigirse a su público de forma mucho más eficaz, seleccionando directamente la música que les gusta, las películas que ven y los libros que leen de forma individual. Si somos miembros de Facebook, los anuncios que vemos están ahí debido a lo que hemos incluido en nuestro perfil.

Nota: La publicidad en Internet ha permitido a las empresas dirigirse a su público de forma mucho más eficaz.

Un artículo aparecido en junio del año 2010[2] en el periódico The Economist citaba la siguiente frase de Randall Rothenberg, director de la Interactive Advertising Bureau: "La audiencia de Facebook es mayor que la de cualquier emisora de televisión que haya existido jamás en la faz de la tierra."

---

[2] "Profiting from Friendship, periódico The Economist, Enero de 2010.

Este pensamiento remarca la importancia del cambio que los anunciantes han tenido que afrontar durante los últimos años.

La publicidad en Internet también ha incrementado su atractivo desde la aparición del "pago por clic". La publicidad tradicional requería un acto de fe, puesto que se pagaba por un anuncio con la esperanza de que la gente lo leyera o lo viera.

En la actualidad, podemos anunciarnos en Internet y pagar solamente si alguien hace clic a través de nuestro sitio Web o página de ventas. Nuestra competencia puede abusar de este sistema pero los beneficios están mucho más asegurados.

Si utilizamos la publicidad como parte de nuestra estrategia de marketing, Howard Nead, director de desarrollo comercial de PHD Worldwide, nos ofrece los siguientes consejos.

Cinco consejos prácticos de Howard Nead para conseguir una publicidad eficaz

1. **Proposición única de venta:** Asegurarnos de que nuestra publicidad transmite claramente lo que nos hace únicos, nuestra marca, nuestro servicio o nuestro producto.

2. **Público objetivo:** Debemos asegurarnos de que hemos identificado explícitamente a nuestro público objetivo, tanto a corto como a largo plazo.

3. **Ubicación:** Asegurarnos de que nuestro anuncio aparece donde es relevante y significativo para nuestro público objetivo.

4. **Interacción:** La publicidad eficaz es muy receptiva y es una forma de comenzar un diálogo significativo; debemos asegurarnos de que queda claro para el receptor cómo responder a nuestro anuncio y que estamos preparados para gestionar la respuesta así como la interactividad que conlleva.

5. **Larga duración:** Debemos estar dispuestos a invertir a largo plazo. Parte de nuestro público querrá responder inmediatamente, pero otros lo harán cuando les parezca relevante.

http://www.phdnetwork.com.

RESUMEN

En este capítulo hemos analizado lo siguiente:

1. Ventajas y desventajas del marketing masivo.

2. Cómo evaluar la eficacia de diversos planes de incentivos.

3. La referencia ideal:

   ▶ Comprender la importancia de ser específicos en nuestras peticiones.

   ▶ Determinar la diversidad de nuestros contactos.

   ▶ Distinguir entre un promotor y un cliente potencial.

4. Tener una combinación adecuada de rutas alternativas para llegar al mercado.

Parte II
Los principios básicos de la mejor estrategia de referencias

5. El papel de la confianza en una estrategia de referencias

En julio del año 2009, el estudio Nielsen Global Online Consumer Survey[1] sobre qué influía en la decisión de compra de los consumidores, mostraba cómo la confianza en las recomendaciones de los amigos superaba con mucho cualquier otro factor de influencia.

De hecho, las recomendaciones de amigos eran casi tres veces más dignas de confianza total que el siguiente factor de influencia más destacado.

El informe establecía que 9 de cada 10 personas a nivel mundial confiaban "completamente" o "bastante" en "las recomendaciones de amigos" (véanse las figuras 5.1 y 5.2).

Estos resultados refuerzan la importancia de la confianza en cualquier estrategia de referencias.

En pocas palabras, si no podemos establecer relaciones de confianza con las personas de nuestra red de contactos, tendremos entonces dificultades para desarrollar cualquier flujo de referencias sólidas.

Aunque existen otros factores que inducirán a la gente a recomendarnos, la confianza es, con mucho, el principal.

---

[1] Podemos encontrar el informe Nielsen Global Online Consumer Survey on Trust, Value and Engagement in Advertising en la dirección Web http://blog.nielsen.com/nielsenwire/wp-content/uploads/2009/07/trustinadvertising0709.pdf.

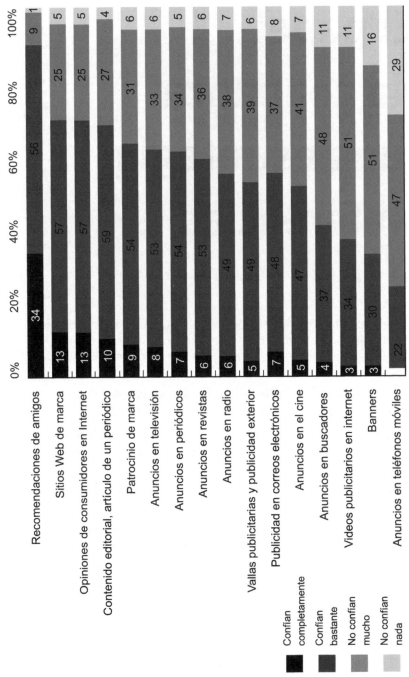

Figura 5.1. Qué influye en las decisiones de compra (a).

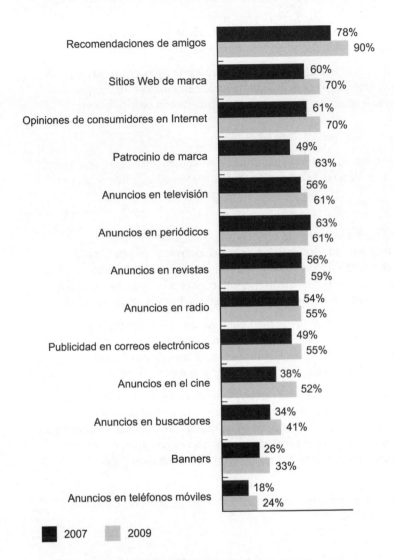

N.B.: El contenido editorial, vallas publicitarias/publicidad exterior y los
videos de publicidad en Internet no se incluyeron en el informe de abril del año 2007.

Figura 5.2. Qué influye en las decisiones de compra (b).

EL CONTACTO PERSONAL

Cuando comenzaba en el mundo del networking, llamaba a las empresas para
pedir que asistieran semanalmente a desayunos de trabajo diseñados para
generar referencias entre los miembros.

La objeción que más solía escuchar, aparte de la hora de comienzo de las reuniones, era, ¿cómo puedo recomendar a personas que no conozco?

No hay duda de que es una respuesta válida. Después de todo, como ya hemos dicho, las referencias se basan principalmente en la confianza entre dos partes, una confianza que, después, la asume un tercero que puede participar con su dinero.

> **Nota:** Las referencias se basan principalmente en la confianza entre dos partes, una confianza que después la asume un tercero que puede participar con su dinero.

Si recomendamos a personas que no conocemos, o con quien no hemos establecido una relación, pueden existir preocupaciones lógicas por la pérdida de contactos de confianza si algo va mal, haciéndonos parecer estúpidos si la persona que recomendamos es incompetente o, peor aún, recomendando a alguien que defraude posteriormente a la persona que hemos presentado.

Si vamos a construir una estrategia de marketing basada en la generación de referencias y pretendemos ampliar nuestra red para maximizar el potencial de esa estrategia, debemos tener en cuenta esas preocupaciones cuando recomendamos a alguien y si esperamos que ellos nos recomienden.

Para empezar, tenemos que estar abiertos a reunirnos con personas desconocidas con la esperanza de poder recomendarles. Aunque es una objeción válida, el mayor problema que tenía la gente que se preguntaba cómo podían recomendar alguien que no conocían era que percibían que, al hacerlo, crearían expectativas de referencias que se transmitirían tan pronto como se unieran al grupo.

> **Nota:** Estar abiertos a reunirnos con personas desconocidas con la esperanza de poder recomendarles.

La vida no es tan fácil. No podemos recomendar automáticamente a gente que acabamos de conocer; del mismo modo que no podemos partir de la base de que sólo podemos esperar ofrecer y recibir referencias de las personas con las que ya tenemos relaciones de confianza.

Al fin y al cabo, si hay personas a las que recomendamos actualmente, con toda seguridad hubo un momento en el que no las conocíamos y un momento en el que comenzamos a apoyarles. Lo que ocurrió entre esos dos puntos fue que desarrollamos una relación en la que nos sentíamos cómodos recomendándoles. Creamos un nivel de confianza entre nosotros mismos y la otra persona.

Cuando estamos construyendo nuevas relaciones, podemos seguir ofreciendo apoyo y conectar a la gente aunque reconozcamos que todavía no estamos en disposición de recomendarles sin cualificación. Para poder hacerlo, es importante saber que existen diferentes tipos de referencias que podemos transmitir.

REFERENCIAS CUALIFICADAS

Cuando nos reunimos con alguien por primera vez, o en las primeras etapas de una relación, deberíamos poder conectarles utilizando lo que denomino "referencias cualificadas".

Con esto, quiero decir que no vamos a ofrecer nuestro apoyo "sin cualificar" a la persona que estamos recomendando, aunque podría seguir siendo un contacto útil.

En un capítulo anterior, hablé sobre el electricista que había contratado después de que se rompiera el termostato de mi casa, quedándome sin agua caliente. Cuando le pregunté a mi amiga si podía recomendarme a alguien que conociera, me dejó claro que nunca se había reunido en persona con el electricista y que se trataba del yerno de un amigo suyo.

Escogiendo las palabras con mucho cuidado, me describió a la referencia. Me dijo, "no le conozco personalmente pero conozco a su suegro y es una persona de confianza". Me indicó claramente que no podía responder personalmente por el electricista pero me sentí mucho más seguro contratándole que buscando a alguien directamente en las páginas amarillas.

La clave era que comprendí que la referencia venía con cualificaciones y me arriesgué aunque no sabía si todo iba a salir bien.

Podemos transmitir referencias cualificadas usando el lenguaje cuidadosamente, mediante expresiones como las siguientes:

► "Acabo de conocer a alguien que...".

► "No sé si podrá ayudarte pero...".

► "Sé que X lo hace pero nunca he recurrido a él...".

Podemos ofrecer una posible solución a las necesidades de alguien al mismo tiempo que nos distanciamos lo suficiente del resultado final.

Siembre debemos ser claros sobre la relación que mantenemos con la persona que estamos recomendando y los términos de la referencia, y permitir que el comprador asuma la responsabilidad de tomar la decisión.

Aunque si se realiza el negocio, siempre tenemos que solicitar las opiniones sobre el resultado, puesto que nos servirán para desarrollar la confianza que necesitamos para ofrecer a esa persona referencias sólidas en el futuro.

Nota: Siembre debemos ser claros sobre la relación que mantenemos con la persona que estamos recomendando y los términos de la referencia, y permitir que el comprador asuma la responsabilidad de tomar la decisión.

REFERENCIAS NO CUALIFICADAS

Cuando hemos creado relaciones sólidas con la gente y estamos seguros de que harán un buen trabajo, es más probable que defendamos sus servicios sin ningún tipo de cualificación.

Esta defensa tan fuerte requiere mayores niveles de confianza; después de todo, nos jugamos nuestra reputación.

Eso no sucede de la noche a la mañana. En la mayoría de los casos pasaremos paulatinamente de transmitir o recibir referencias cualificadas a transmitirlas sin ningún tipo de cualificación.

Nota: Esta defensa tan fuerte requiere mayores niveles de confianza.

Esta progresión puede depender de muchos factores. Podemos haber recurrido a sus servicios en persona, conocer a alguien que elogie sus servicios constantemente o confíe en su persona e integridad.

Si contamos con la experiencia y las recomendaciones de un tercero, también dependeremos en gran medida de lo bien que conozcamos y confiemos en esa tercera persona y de la calidad de los comentarios que escuchemos. Los comentarios de una o dos personas de nuestra total confianza pueden ser suficientes para que confiemos en la persona que estamos recomendando, o puede ser que escuchemos muchas opiniones positivas sobre ellos de varias personas.

Cuando transmitimos este tipo referencias sólidas, normalmente querríamos confiar tanto en su integridad como en su capacidad para distribuirlas.

Es mucho más probable que las referencias no cualificadas de esta clase influyan en los clientes potenciales, Al fin y al cabo, si confían en nosotros y nosotros hablamos tan positivamente sobre un proveedor potencial, ¿por qué querrían irse a otro sitio?

Sin embargo, aunque podamos tener dudas a la hora de transmitir referencias no cualificadas sólidas, son tan importantes que desempeñan una función fundamental en cualquier estrategia de referencias.

Si queremos ser los receptores de las referencias no cualificadas que, posiblemente, nos harán conseguir más negocios nuevos, tenemos que estar dispuestos a ofrecer también recomendaciones similares a los demás.

ESTABLECER LA CONFIANZA

Cuando nos reunimos por primera vez con una persona, generalmente partimos de una posición de falta de confianza mutua. En cuanto digo esto, la gente presupone que estoy siendo negativo, pero no lo soy.

Cuando digo que no "confío" en alguien, no estoy sugiriendo que "sospeche" de esa persona. Para mucha gente, la confianza parece una cuestión de blanco o negro; o confiamos en alguien o consideramos que no son dignos de confianza, insinuando sospecha o recelo. Pienso que la realidad es muy diferente.

Cuando nos reunimos con alguien la primera vez, en condiciones normales partimos de una posición que denomino "confianza neutral". Naturalmente, el nivel de confianza en una persona puede ser ligeramente mayor o menor dependiendo de varios factores como, por ejemplo, si nos la han recomendado, si tenemos amigos comunes o incluso si apoyamos al mismo equipo deportivo.

Nota: Cuando nos reunimos con alguien por primera vez, partimos de una posición que denomino "confianza neutral".

El nivel de confianza o desconfianza inicial también puede verse influido por factores como el sector, por ejemplo los médicos suelen ser personas de total confianza, sin embargo los vendedores de coches pueden pasar por más dificultades en la primera reunión con los clientes.

James A. Ziegler, reputado experto en la venta de automóviles en Estados Unidos, me dijo en una ocasión: "Tradicionalmente la gente piensa que los vendedores de coches usados van a engañarles. Esta leyenda negra está profundamente arraigada desde hace años, cuando estos estereotipos eran mucho más validos que en la actualidad.

Aunque la industria automovilística ha cambiado considerablemente y cuenta con una ética profesional superior, los viejos prejuicios permanecen. En cuanto la gente observa el cartel de 'coche usado', sólo ven el estereotipo anticuado en lugar de comprobar los procesos y controles de seguridad adaptados para los clientes que existen en los concesionarios modernos."

PRIMERAS IMPRESIONES

Nuestra apariencia y la primera impresión que causamos también influye en el nivel de confianza que podemos generar en la gente. Angela Marshall, experta en gestión de imagen y autora de Being Truly You, cree que nuestro aspecto es esencial.

Angela me dijo que "tener la imagen correcta es muy importante puesto que afecta a cómo nos percibe la gente. Cómo nos presentamos ante los demás, ya sea en persona con la forma de vestir y nuestro aseo personal, a cómo nos expresamos cuando hablamos con personas por teléfono o cuando nos reunimos, es muy importante. Tener buen aspecto, ser educado y cortés, tener un lenguaje corporal positivo y buenas habilidades comunicativas son claves para tener una imagen personal atractiva".

Aunque no es sólo nuestra apariencia lo que influye en la confianza que la gente depositará en nosotros.

Lesley Everett, que es experta en la creación de marca personal y autora del libro Walking Tall, piensa que nuestros valores fundamentales juegan un papel vital.

A una de mis preguntas, Lesley me respondió "Si creamos nuestra marca personal de forma consciente y eficaz de acuerdo con nuestros valores auténticos, podremos ser más consecuentes con cómo los proyectamos. Si nos perciben como auténticos y coherentes, la gente confiará más en nosotros, es tan fácil como eso".

"Tener una serie de valores claramente definidos es la base de una marca personal sólida. A continuación, tenemos que asegurarnos de que los reunimos para proyectarlos en cada comunicación. En otras palabras, estamos añadiendo conscientemente capas de refuerzo positivo a la reputación de nuestra marca. Después, otras personas crearán una expectativa sobre nosotros de la que dependerán y en la que confiarán".

EXPECTATIVAS, NECESIDADES Y PROMESAS

La escritora australiana Vanessa Hall, autora de The Truth about Trust in Business, ha desarrollado un modelo para demostrar cómo y por qué confiamos y por qué es tan importante en la vida diaria y en los negocios.

Vanessa define la confianza como "nuestra capacidad para depender de una persona, un grupo de personas, una organización o de productos y servicios para producir un resultado específico. Por lo tanto, existen cientos, incluso miles de puntos de confianza en nuestra vida todos los días. Y, a menudo, desconocemos todo lo que sucede desde que apagamos el despertador por la mañana para despertarnos hasta el agua de la ducha que sale demasiado caliente, o hasta el sabor de la pasta de dientes que queremos.

Generalmente, confiamos en que todas esas cosas van a funcionar bien, que desempeñan una función y producen el resultado que esperamos de ellas y sólo nos empezamos a preocupar cuando no se produce ese resultado."

Vanessa analiza los tres atributos principales que nos hacen confiar.

"El primero es comprender que tenemos expectativas. Esas expectativas proceden de situaciones, de experiencias anteriores si las hemos tenido con esa persona o esa organización, o ese producto o servicio; procede de las cosas que hemos leído o hemos visto.

El material de marketing, por ejemplo, crea expectativas de cómo van a ser nuestras experiencias. Procede de cosas que nos han contado otras personas. Las referencias, en realidad, crean expectativas sobre nuestra experiencia, y éstas provienen de lo que yo llamo 'experiencias similares'; por ejemplo, he tenido una mala experiencia con un banco, por lo tanto pienso que todos los bancos van a ser iguales.

Todos tenemos estas expectativas. No solemos expresarlas pero esperamos que la gente las cumpla y nos sentimos decepcionados cuando no se cumplen nuestras expectativas.

La segunda cualidad son nuestras necesidades. Me he basado en la Pirámide de Maslow (Hierarchy of Needs, Jerarquía de las necesidades) para comprender que, desde el punto de vista de la confianza, compramos productos y servicios y entablamos relaciones con la gente para satisfacer esas necesidades.

He comprobado que, por lo general, existe un eje que impulsa la necesidad de las personas, y esa necesidad las dirige en todas relaciones e interacciones que mantienen. Por ejemplo, una persona a la que le gusta conducir, comprará un coche porque le hace sentir bien consigo mismo, comprará la ropa por el mismo motivo. Entablará relaciones, escogerá un trabajo; hará todo tipo de cosas, y las hará para satisfacer su necesidad de autoestima.

Por lo tanto, tenemos expectativas y necesidades, las promesas nos las hacen otras personas, la otra organización y los otros productos y servicios, y las promesas podrían ser implícitas o explícitas.

Hablo de la diferencia entre promesas implícitas y explícitas, existe una promesa tácita en el momento que proporcionamos una referencia a alguien, hay muchas posibilidades de que ésta se convierta en una referencia comercial, que para mí es la promesa implícita que puede acabar más rápidamente con la confianza.

Nota: Existe una promesa tácita en el momento que proporcionamos una referencia a alguien.

Por lo tanto, cuando no lo tenemos claro y decimos algo como 'esta persona es fantástica' o 'son realmente emprendedores' o 'verdaderamente simpáticos', hemos realizado una promesa implícita y creado una expectativa en la mente de esa persona sobre cómo podría materializarse su relación, y si no se materializa exactamente de la forma que esperan y de la forma que creen que se lo prometieron, ni satisface sus necesidades, entonces su confianza en nosotros puede desaparecer rápidamente.

Poder confiar nuestra decisión de confiar se basa en nuestra convicción de que nuestras expectativas se cumplirán o gestionarán, nuestras necesidades serán satisfechas y las promesas que nos hicieron se mantendrán.

De modo que todo el objetivo y todo el proceso de la creación de confianza se basa en el conocimiento de las expectativas y necesidades y saber cuáles son las más importantes para la gente; debemos ser muy, muy claros sobre qué estamos prometiendo cuando realizamos esas promesas."

POR QUÉ HABLAMOS DEL TIEMPO

Suelo preguntar qué alternativa utilizo a "¿a qué se dedica?" cuando me reúno con gente en los encuentros de networking. Medio en broma, le comento a la gente que digo: "¿Suele venir por aquí?". Puede que no utilice esas palabras exactas, para muchos parece una frase para ligar, pero digo algo parecido.

Por ejemplo, podría preguntar si son miembros del grupo que acoge el encuentro, o cómo conocen al presentador, o si es la primera vez que vienen, quién les invitó. Antes incluso de comenzar a hablar sé de algo que tenemos en común, el encuentro al que estamos asistiendo, por lo que se convierte en el tópico natural para empezar nuestra conversación.

Lo que pretendo es crear un entendimiento inicial estableciendo intereses comunes. Los británicos somos famosos por hablar constantemente sobre el tiempo que hace.

Nota: Crear un entendimiento inicial estableciendo intereses comunes.

¿Por qué hablamos del tiempo? Creo que hay dos razones. La primera, ¡tenemos un clima variable! En segundo lugar, es algo que sabemos que compartimos. En Reino Unido, si nos encontramos con un completo desconocido, hay muchas probabilidades de que mantengamos, al menos, una conversación sobre lo atípico del tiempo en esa época del año, y eso nos proporcionará un punto de conversación inicial.

Iniciar una conversación con una persona con la que sabemos que tenemos algo en común, como por ejemplo el encuentro de networking, nos permite encontrar un punto de partida para desarrollar ese diálogo.

Si, por ejemplo, ambos conocemos a la misma persona, podemos compartir nuestras experiencias con ella. Si alguien está asistiendo por primera vez a un evento, podríamos preguntar qué pretende conseguir y averiguar más información sobre su negocio a través de sus respuestas.

> **Nota:** Iniciar una conversación con una persona con la que sabemos que tenemos algo en común como por ejemplo el encuentro de networking, nos permite encontrar un punto de partida para desarrollar ese diálogo.

Por el contrario, si sólo preguntamos ¿a qué se dedica? y nos responden "contable", tendremos más dificultades para realizar la próxima pregunta en la conversación a menos que necesitemos un contable, también seamos contables o nos fascine la contabilidad.

En junio del año 2009 presenté la inauguración de una nueva institución benéfica junto con la humorista y presentadora de televisión americana Ruby Wax. En su discurso, Ruby habló sobre la importancia de la empatía y las relaciones para crear confianza con sus entrevistados famosos. Cuando lo conseguía hacer bien, realizaba una gran entrevista, aunque en las primeras cometió muchas equivocaciones.

Ruby explicó cómo se equivocaba a la hora de crear empatía con sus primeros invitados. Se concentraba en conseguir que la entrevista saliera bien y deseaba "triunfar" en lugar de relacionarse e identificarse con los entrevistados. Ruby nos contó que: "me preguntaba si todo el mundo con el que hablaba estaba loco. Quería triunfar y no me interesaba nada de ellos. Era grotesco".

Ruby tuvo más éxito cuando desechó cualquier idea preconcebida de sus entrevistados y, simplemente, dejaba fluir la conversación.

CONOCERNOS LEJOS DE LOS ENCUENTROS DE NETWORKING

Naturalmente, no podemos crear confianza con la gente sólo por mantener la conversación adecuada en un encuentro de networking.

La confianza se construye con el tiempo a medida que conocemos personalmente a las personas. Es importante conocerse mutuamente a un nivel mucho más profundo que no podríamos alcanzar hablando sobre aperitivos y networking, por esa razón resulta tan importante reunirse lejos de los encuentros o, en el caso de los clientes, lejos de las negociaciones y las revisiones de casos.

> **Nota:** La confianza se construye con el tiempo a medida que conocemos personalmente a las personas.

Las reuniones cara a cara con los participantes lejos del grupo son esenciales si queremos crear una red de referencias sólida. Solamente se puede construir la confianza manteniendo conversaciones de negocios y personales más profundas.

Las reuniones no siempre tienen que ser entre dos personas. Una vez al mes, asisto a un desayuno de networking y, a menudo, después del evento, dedico una hora a mantener una charla con tres o cuatro miembros. Creo que un grupo de personas compartiendo ideas entre sí propicia una conversación más relajada que dos personas intercambiando larguísimos argumentos de venta.

Si procede, también debemos relacionarnos con la gente de nuestra red de contactos. Resulta muy fácil descubrir dónde se han establecido los vínculos afectivos sólidos entre las personas que se relacionan en compañía de otros, y es más probable que la confianza crezca a partir de esos vínculos.

Warren Cass dirige Business Scene, una comunidad británica dedicada al networking comercial que pretende agrupar varias redes de contactos para facilitar a la gente encontrar la red que mejor se adapte a sus necesidades. Una vez al año, Warren organiza un viaje de una semana de duración, al que invita a directores de redes y a personas de su propia red con buenos contactos.

Uno de los asistentes habituales es William Buist, presidente de la Ecademy BlackStar, una red global basada en la plataforma de Internet Ecademy.com. Después del viaje del año 2010, William dijo: "es realmente valioso comprender cómo piensan los demás y ver cómo nos buscan cuando necesitamos ayuda. Todo el mundo, de las aproximadamente 20 personas que asistieron a la fiesta, se conocía o conocían a alguien del grupo.

Existía una camaradería insuperable.

Las referencias, las oportunidades y las ideas fluían de las conversaciones y sé que las amistades que se forjaron durarán mucho tiempo.

Como no teníamos Wifi, nos centrábamos en nosotros, y no en lo que ocurriera en cualquier otro lugar.

No tenemos que 'desaparecer' con cada persona con la que nos reunamos cuando establecemos contactos para construir una relación, aunque es más probable que forjemos relaciones sólidas lejos de los encuentros de networking que en ellos. Asistir a encuentros nos permite reconocer caras. Para generar referencias, tenemos que conocer a las personas".

GENERAR LA CONFIANZA A TRAVÉS DE LA EXPERIENCIA

Al mismo tiempo que conocer a la gente a nivel personal nos proporciona la base de una relación leal, la confianza que otras personas depositan en nosotros aumentará al experimentar nuestros servicios y nuestro comportamiento.

Las opiniones juegan un papel fundamental en los negocios, quizás más que nunca. Las redes sociales, especialmente LinkedIn, permiten a los usuarios dejar opiniones sobre nuestros servicios, además podemos acceder a esas opiniones fácilmente.

¿Cuándo fue la última vez que revisamos lo que han dicho de nosotros en Internet? Debemos analizar nuestros perfiles en las redes sociales o sitios Web relacionados con nuestro sector. Configuremos Google Alertas con nuestro nombre y el nombre de nuestra empresa para saber cuando nos mencionan en blogs.

Cuando la gente escribe opiniones sobre nosotros ¿son cuidadosos con lo que dicen? Debemos comprender claramente qué queremos conseguir con esas opiniones o recomendaciones. Si nuestros clientes potenciales y valedores pueden verlas, ¿estarán más cerca de confiar, contratarnos o bien recomendarnos?

Nota: Debemos comprender claramente qué queremos conseguir con esas opiniones.

El pasado año eliminé casi la mitad de opiniones de un sitio Web porque eran una distracción. Por muy bien intencionadas que fueran, procedían de personas que no me conocían bien y sólo decían lo agradable que fue ponerse en contacto conmigo o lo servicial que era. Las opiniones que dejé en la página Web hablaban sobre mis habilidades, mi experiencia y lo que podía hacer por los clientes. Las que hablaban sobre mi personalidad procedían de personas que me conocían bien y podían decir algo sustancial y relevante.

Soy consciente de que el hecho de eliminar opiniones o recomendaciones puede parecer duro e ingrato. Siempre me siento agradecido si alguien dice algo agradable sobre mí.

Sin embargo, las opiniones que aparecen en las redes sociales forman parte de nuestra estrategia de reputación. Nosotros debemos ser quien controle la estrategia, y no los demás.

LinkedIn nos permite realizar modificaciones en las opiniones antes de ser publicadas en nuestro perfil. No debemos tener miedo de utilizarlas. Si alguien nos ofrece una recomendación y sabemos que ha experimentado algo especialmente relevante en nuestra relación, es una opinión que queremos que otros conozcan, por lo que le pediremos que lo comparta.

Las redes sociales nos permiten pedir y comprobar las opiniones, así que tenemos que asegurarnos de que están bien representadas en nuestro propio sitio Web y en nuestra información de empresa. Siempre que podamos, debemos compartir el resultado final en forma de opinión y también contaremos la historia.

Si la gente empieza a comprender el proceso que nuestros clientes han experimentado durante nuestra relación comercial, su confianza en nosotros aumentará un poco más.

Además, la forma de responder después de ofrecer o recibir referencias también puede ayudar a desarrollar la confianza entre dos personas.

En ambos casos, tenemos la posibilidad de construir una relación sólida, mostrar firmeza en la forma de dirigir y demostrar integridad y compromiso absoluto.

Cuando recibamos una referencia de una persona de nuestra red de contactos, le haremos partícipe y le informaremos de cada etapa del proceso. Le diremos cuándo nos hemos puesto en contacto, cuándo hemos establecido una reunión y si la referencia se ha transformado o no en un negocio. Si no se consigue, le contaremos el por qué.

Nota: Cuando recibamos una referencia de una persona de nuestra red de contactos, le haremos partícipe y le informaremos de cada etapa del proceso.

Si no es el tipo de referencia adecuada para nosotros, seremos sinceros. Le daremos la oportunidad de transmitirla a otra persona, o incluso le ayudaremos haciéndolo nosotros mismos.

La gente confía más en nosotros si les implicamos, si saben que hacemos el seguimiento y, con un poco de suerte, haciéndoles sentir bien.

Del mismo modo, cuando hemos transmitido una referencia, mantendremos el contacto. Preguntaremos a ambas partes cómo fue la relación y nos interesaremos regularmente.

VOLUNTAD DE RECOMENDAR

Aunque no sólo se trata de confianza. Como me dijo uno de mis clientes ¡nuestros competidores pueden confiar en nosotros pero seguimos sin poder asegurar que quieran recomendarnos!

Cuando estamos desarrollando nuestros valedores, una vez que hemos determinado cómo confían en nosotros tenemos que analizar si están dispuestos a recomendarnos.

Suelo pedir a mis clientes que hagan una lista con sus valedores potenciales y, a continuación, puntúen de 0 a 10 el nivel de confianza que presuponen que esas personas tienen en ellos. En un capítulo posterior analizaremos esta lista en profundidad.

Una persona a la que estaba asesorando incluyó mi nombre en su lista, ya que somos miembros de la misma red de contactos y mantenemos una relación sólida. Al lado de mi nombre, en la columna de confianza, me concedió la máxima puntuación.

Le pregunté por qué me había puntuado tan alto en el apartado de confianza. Parecía ofendido. Claramente, presuponía que yo confiaba en él implícitamente. Y lo hago. Personalmente, creo que esta persona tiene un nivel de integridad tan alto como cualquier otra que conozca.

Siempre pretende contribuir y ayudar a los demás y cumple todas sus promesas. Sin dudar, le habría dado la máxima puntuación en confianza personal.

Pero, en ese momento no había experimentado ninguno de sus servicios profesionalmente. Ofrece un servicio muy específico para un único tipo de sector, y mi propio negocio no está incluido en esa lista. Sin la suficiente aprobación de otras personas, de las que hasta ese momento no había oído comentar nada, yo no podía confiar en su negocio al mismo nivel.

Cuando examinamos a las personas de nuestra red y nos preguntamos si tienen el nivel de confianza en nosotros adecuado y si están dispuestos a recomendarnos, debemos averiguar la opinión que tienen sobre nosotros no sólo "personalmente", sino también "profesionalmente". Por otra parte, si conocen bien nuestro negocio y confían en nuestra forma de trabajar, ¿hasta qué punto nos conocen personalmente?

Naturalmente, esto no quiere decir que no vaya a recomendar a mi colega de ninguna manera.

En apartados anteriores del libro describí, en líneas generales, la diferencia entre referencias cualificadas y no cualificadas. Refiriéndome a mi amigo, destacaría sus cualidades personales pero calificaría la referencia explicando que no he experimentado sus servicios personalmente.

Además, es posible que la gente esté menos dispuesta a recomendarnos si mantienen una relación personal con nosotros y no les gusta mezclar las redes personales y comerciales. Siempre habrá un obstáculo basado en las preocupaciones sobre las consecuencias que tendrán para ellos si algo sale mal.

Surgen problemas parecidos cuando pedimos a la gente que recomienden a clientes clave o contactos importantes.

> **Nota:** Es posible que la gente esté menos dispuesta a recomendarnos si mantienen una relación personal con nosotros.

Además de tranquilizarles, debemos respetar su derecho a decir "no" si no se sienten cómodos recomendándonos.

También debemos tener en cuenta las ocasiones en las que puede haber regulaciones profesionales u otras barreras similares que les impedirían recomendarnos, o que piensan que pueden aparecer.

PONERNOS EN SU LUGAR

Si queremos saber si nuestros valedores potenciales nos van a recomendar, tenemos que averiguar qué piensan. Nos imaginaremos enfrente de ellos preguntando si se sentirían cómodos recomendándonos. Pongámonos en su lugar, ¿cómo se sentirán? ¿Estarán encantados de recomendarnos o nerviosos por tener que hacerlo?

Uno de mis clientes era asesor comercial y trabajaba para varias compañías importantes. Cuando trabajamos juntos estaba restableciendo su negocio, después de seis meses sin realizar el seguimiento de ninguna operación comercial. Prácticamente tenía que reconstruir su negocio desde el principio. Le pregunté por las personas que podrían recomendarle. Determinamos que tenía numerosos contactos de alto nivel que ocupaban la mejor posición para ayudarle pero se sentía muy incómodo por tener que pedirles referencias.

Hizo una lista con los cinco contactos que podrían ser valedores potenciales para él y le pedí que se pusiera en su lugar y pensara cómo de dispuestos estarían en recomendarle, a continuación le pedí que les puntuara en confianza y conocimiento. Les concedió la máxima puntuación en ambos aspectos a las cinco personas que habíamos analizado.

Puesto que ahora se sentía más seguro, se reunió con sus contactos. Se dio cuenta de que, ahora, era mucho más fácil explicar su situación y pedir referencias porque sabía que se sentirían muy cómodos apoyándole. Una sóla de aquellas reuniones produjo diez referencias de alto nivel.

En el momento de la redacción de este libro, ya han surgido un par de proyectos de aquellas reuniones y uno de sus valedores le está ayudando realizando presentaciones en Asia, abriendo un nuevo mercado. Además, ha integrado las herramientas y técnicas que examinamos, en las relaciones con sus clientes y contactos principales, y su negocio ha crecido considerablemente desde nuestra sesión de trabajo, casi íntegramente a través de las referencias.

CÓMO CRECEN LAS REFERENCIAS CON LA CONFIANZA

Por lo tanto, cualquier estrategia de referencias sólida tiene que construirse sobre la base de relaciones sólidas y de confianza. Cuanta más gente confíe en nosotros, mayores probabilidades habrá de que quieran recomendarnos y, eso, en breve, se convertirá en un círculo positivo (véase la figura 5.3).

Figura 5.3. El círculo de referencias positivo.

Manteniendo informada a cada referencia con éxito, conseguiremos aumentar mucho más su confianza. Nos aseguraremos de que disfrutan de una experiencia positiva cuando nos recomiendan y volverán a hacerlo otra vez. Veremos un cambio de referencias cualificadas a no cualificadas y cada vez más negocios que proceden de la misma fuente.

> **Nota:** Manteniendo informada a cada referencia con éxito, conseguiremos aumentar mucho más su confianza.

A muchos negocios que conozco los han recomendado una o dos veces pero no han conseguido establecer un círculo de referencias positivo porque no están ofreciendo información sobre los resultados. Han reaccionado cuando las referencias han llegado pero no han reconocido los posibles beneficios que existen por ser proactivos y construir relaciones más profundas con las fuentes de esas referencias.

Cuando nos reunimos por primera vez con alguien y la relación comienza a crecer, puede que, al principio, decidan ponernos a prueba personalmente o con pequeñas referencias. A medida que crece la confianza en nosotros, la calidad de las referencias puede mejorar o fluir con más regularidad. Siempre y cuando hagamos lo correcto, tendremos más posibilidades de conseguir referencias en el segundo año de una relación que en el primero.

Anteriormente, analizamos la pregunta que más suelo escuchar: ¿cómo puedo recomendar a personas que no conozco? Esperemos que ahora la respuesta esté clara. Si queremos que la gente nos recomiende, primero tenemos que conocerlos mejor y ganarnos su confianza.

RESUMEN

En este capítulo hemos analizado lo siguiente:

1. Causar la impresión adecuada estableciendo nuestra marca personal.

2. Construir relaciones solidas y generar confianza:

    ▶ Conociendo a los contactos, intereses comunes.

    ▶ Comprendiendo las expectativas y las necesidades.

    ▶ Cumpliendo las promesas.

    ▶ Desarrollando relaciones fuera de los encuentros de networking.

3. Saber cómo transmitir una referencia cualificada.

4. Utilizar las opiniones correctamente.

5. Ofrecer comentarios constructivos y mantener informada e implicada a la persona que nos ha recomendado.

6. ¿Saben nuestros contactos cómo recomendarnos?

Una vez que hemos establecido la confianza con las personas de nuestra red de contactos, nuestro siguiente objetivo es ayudarles a reconocer las oportunidades que nos beneficiarán, y mantener una conversación que llevará a un valioso nuevo contacto que estará esperando hablar con nosotros.

Si esperamos que nuestro valedor nos recomiende, tenemos que ponernos en su lugar. Un conocimiento claro de lo que tienen que saber para realizar los contactos más eficaces por nosotros conducirá a un número mayor de referencias de calidad con las personas adecuadas.

> **Nota:** Si esperamos que nuestro valedor nos recomiende, tenemos que ponernos en su lugar.

Tenemos que asegurarnos de que comprenden a quién tenemos que conocer, por qué esas personas querrían hablar con nosotros y cómo mantener una conversación sobre nosotros y nuestros servicios cuando no estemos presentes. Debemos tener cuidado de no sobrecargar a nuestros valedores con demasiada información, o esperar demasiado de ellos. Cuanto más les facilitemos el proceso de recomendación, más dispuestos estarán a hacerlo.

A QUIÉN TENEMOS QUE CONOCER Y POR QUÉ

Hace unos pocos años participé en un encuentro, que se inauguró con una sesión de "networking rápido". Se dividió a los participantes en dos filas y tenían que desplazarse por la fila contraria, dándose la mano con cada nuevo compañero y presentándose con la pregunta, "¿en qué puedo ayudarle?".

Naturalmente, después de examinar con profundidad el papel que juega la confianza para conseguir que la gente quiera ayudarnos, estaremos de acuerdo en que el momento adecuado para preguntar "¿en qué puedo ayudarle?" no es en los primeros segundos que conocemos a alguien.

Por otro lado, ¿cómo respondemos a esa pregunta si quien nos la hace es una persona que conocemos bien, alguien que sabemos que confía en nosotros y que nos quiere ayudar de verdad?

Sorprendentemente, no mucha gente sabe responder inmediatamente a esta pregunta. Y, menos aún, responder de manera eficaz. La mayoría de las respuestas se parecerán a "a cualquiera que necesite mis servicios". Sólo una pequeña minoría sabe cómo pedir la presentación más eficaz para ellos por parte de esa persona en ese momento.

El problema es que, aunque conozcamos nuestro negocio y qué estamos intentando conseguir, no todos nos tomamos el tiempo necesario para identificar claramente a quién tenemos que conocer para que nos ayude a conseguir esos objetivos. Por otro lado, cuando la gente se ofrece a presentarnos a las personas que pueden ayudarnos, muy pocos sabemos realmente quiénes son esas personas.

Nota: No todos nos tomamos el tiempo necesario para identificar claramente a quién tenemos que conocer.

Si no sabemos a quién tenemos que conocer y el apoyo que tenemos que recibir, ¿cómo pueden esperar los demás que lo hagamos?

Cuando nos preguntan quién es nuestra referencia ideal, ¿qué imagen nos viene a la mente? Creo que la mayoría de las veces pensamos en un cliente. Si es así, tenemos que plantearnos un par de preguntas:

- ► ¿Cuántos clientes nuevos necesitamos cada año para conseguir nuestros objetivos de ingresos?

- ► ¿Cuántas reuniones con clientes potenciales tenemos que mantener para asegurarnos uno? Dicho de otro modo, ¿cuál es nuestra relación de conversión?

Si, por ejemplo, necesitamos conseguir 20 nuevos clientes este año y nuestra relación de conversión es uno de cada cuatro, necesitaríamos 80 "referencias ideales" al año.

Además surgen más preguntas sobre las cuales tenemos que reflexionar, son las siguientes:

▶ ¿Existe una ruta más rápida para llegar al mercado? ¿Hay personas en nuestro sector o que complementen nuestra industria, que se reúnen con varios de nuestros clientes potenciales y están en disposición de recomendarnos de manera regular?

▶ Si es así, ¿serían una referencia mejor para nosotros que un cliente potencial concreto?

Éstas son la clase de cuestiones que tenemos que plantearnos antes de responder a la pregunta ¿en qué puedo ayudarle? También tenemos que conocer dónde radican las deficiencias en nuestro negocio y con qué aspectos necesitamos ayuda, dónde podemos ahorrar dinero en proveedores y qué socios podrían mejorar nuestra oferta.

Debemos establecer claramente a quién tenemos que conocer. Y ser lo más específicos posible. ¿En qué sector trabajan? Quizás incluso en qué compañía. ¿Cuál es su cargo?

Nota: Debemos establecer claramente a quién tenemos que conocer.

Si no podemos delimitar nuestra petición a una compañía o cargo concreto, podemos compartir información sobre la situación en la que se pueden encontrar. Después de todo, la gente va a necesitar nuestros servicios por algo que está sucediendo en sus negocios o en sus vidas. ¿Qué podría ser?

Si la gente sabe cómo reconocer a las personas que necesitan nuestra ayuda porque están familiarizados con lo que están pasando, los problemas a los que se están enfrentando y cómo podemos ayudarles para resolver esos problemas, será más fácil para ellos conectar.

CONVERSACIONES PERSONALIZADAS

Cuando pido a la gente que me diga quiénes podrían ser sus referencia perfectas, siempre piensan que debería existir una solución única. Pero ése no es el caso. ¿Deberíamos pedir la misma ayuda a todos los que conocemos? ¿Todo el mundo merece recibir la misma respuesta? Por supuesto que no, cada persona es distinta y nuestra conversación debería adaptarse, en consecuencia.

Hace un par de años, Chris, uno de mis socios de confianza, me preguntó: "¿En qué puedo ayudarte?". Podría haberle pedido unas cuantas cosas pero me limité a una única solicitud. Le respondí:

"Me gustaría aumentar mi alcance en los medios de comunicación. ¿Puedes ayudarme con las presentaciones a los periodistas?".

Conocía la trayectoria profesional de Chris como antiguo editor ejecutivo de uno de los periódicos británicos más conocidos. Su presentación condujo a una mayor cobertura periodística, incluyendo una página completa en una publicación nacional que me habría supuesto decenas de miles de euros en publicidad.

Cada persona aporta su propia red de contactos. No podemos dar una respuesta estándar a cada problema. Debemos conocer la variedad de redes que nos rodean y tenerlo presente cuando la gente nos pregunte ¿en qué puedo ayudarle?

Nota: Cada persona aporta su propia red de contactos. No podemos dar una respuesta estándar a cada problema.

CONOCER NUESTRO MENSAJE PRINCIPAL

A menudo se dice que "no se trata de lo que sabes, sino de a quién conoces". Esto sólo es así en parte. Cuando construimos nuestra estrategia de marketing boca a boca, en realidad es más importante centrarnos en a quién conocemos y, fundamentalmente, qué dicen sobre nosotros.

¿Hemos dedicado mucho tiempo a pensar qué queremos que la gente diga de nosotros? Cuando hago esta pregunta a grupos de networking, casi siempre hablan de cualidades. Quieren que la gente comente de ellos que son de confianza, profesionales, eficaces y otras características parecidas.

¿Cuánta gente decide gastar su dinero porque necesitan a alguien que sea fiable, profesional o eficaz? Naturalmente, queremos que la gente que contratamos presente esas características pero no el motivo principal por el que las empleamos.

Las personas no "contratan" por las características personales, "contratan" soluciones a los problemas. Por lo tanto, si queremos generar referencias, a buen seguro querremos que nuestros valedores hablen primero sobre los problemas que solucionamos, consiguiendo que otras personas reconozcan cómo nuestros servicios son adecuados para sus necesidades.

Nota: Las personas no "contratan" por las características personales, "contratan" soluciones a los problemas.

Pensemos qué tendrían que escuchar si quisieran hablar con nosotros sobre un posible interés en un negocio. ¿Qué debería representar nuestra marca si quisiéramos atraer a los consumidores potenciales correctos?

> **Nota:** Dedicar algún tiempo a conocer nuestra reputación actual.

Para empezar, siempre recomiendo dedicar algún tiempo a conocer nuestra reputación actual. No como nos gustaría que fuera, sino como es realmente. Lesley Everett, experta en creación de marca personal, anima a sus clientes a ponerse en contacto con sus compañeros de profesión, clientes y amigos para intercambiar comentarios y sugerencias sobre qué impresión causan.

Lesley recomienda realizar preguntas como:

- ► ¿Qué tipo de imagen proyecto?
- ► ¿Qué impresión causo en los desconocidos cuando me conocen?
- ► ¿Cómo reaccionan mis clientes ante mí?
- ► ¿Qué sugerencias harían sobre mi aspecto personal para proyectar una mejor imagen?

Este ejercicio es increíblemente valioso para comprender cómo nos ven los demás y si coincide con lo que queremos ser. Desde la perspectiva que estamos analizando en este capítulo, añadiría otras preguntas como por ejemplo:

- ► ¿A qué me dedico?
- ► ¿Qué problemas soluciono?
- ► ¿Quiénes son mis clientes perfectos y por qué me necesitan?

SABE LA GENTE A QUÉ NOS DEDICAMOS

Nos puede parecer extraño realizar las tres preguntas que he añadido en el apartado anterior. Después de todo, nosotros ya deberíamos saber a qué nos dedicamos. Estoy seguro de que creemos que las personas más cercanas a nosotros conocen nuestro negocio o nuestro trabajo. ¿Lo conocen de verdad?

Dependiendo de lo estrechamente relacionados que estemos con otras personas, su conocimiento de lo que hacemos puede estar completamente alejado de la realidad. Si es así, debido a la importancia del conocimiento para generar referencias, ¿cómo podemos depender de ellos para que sean nuestros valedores?

A menudo, utilizamos sólo el cargo profesional para describir nuestro trabajo, o títulos similares para describir nuestro negocio. Después, asumimos que los demás saben automáticamente de lo que estamos hablando.

También resulta muy fácil caer en la jerga profesional, utilizando términos que empleamos diariamente pero que no significan mucho para la gente que está fuera de nuestra industria o profesión.

Es probable que deje atónita a la gente cuando les comento que soy un estratega del networking comercial. El peligro radica en que la gente se limitará a "desconectar" si no comprenden lo que queremos decir. Muchas personas pueden sentirse violentas por tener que pedir una explicación o una aclaración. No quieren parecer idiotas. En lugar de eso, cambiarán de tema y perderán interés.

Nota: La gente se limitará a "desconectar" si no comprenden aquello que queremos decir.

Debemos tenerlo en cuenta; si alguien muestra el suficiente interés como para preguntarnos por lo que hacemos, o por lo que decimos, debemos ser amables y pacientes. Esta paciencia puede ser rentable.

Hace un par de años, uno de mis contactos en LinkedIn me pidió que le presentara a alguien de mi red. Los dos trabajaban en el sector financiero, y no comprendí su explicación, llena de palabras técnicas, de por qué quería que lo presentara, por lo que no me sentí cómodo realizando la conexión. Volví a hablar con él y le expliqué mi problema. Le pregunté si podría repetir la petición de tal manera que la pudiera comprender. Su respuesta fue algo brusca y poco útil, insinuando que su explicación era lo suficientemente sencilla. Evidentemente, no consiguió la presentación.

Si la gente quiere comprender mejor lo que hacemos para ayudarnos de manera más eficaz, tenemos que facilitárselo en lugar de contrariarlos. Al fin y al cabo, somos la persona que se va a beneficiar.

¿A QUIÉN QUEREMOS QUE SE LO DIGAN?

Una vez que nuestra red de contactos comprende lo que queremos que digan de nosotros, tenemos que concentrarnos en explicarles con quién queremos que compartan nuestro mensaje. Por ejemplo, si estamos buscando contactos en el sector público, no obtendremos muchos beneficios si nuestro mensaje llega a empresas de nueva creación o de pequeño tamaño.

Pensemos en nuestra referencia ideal y escribamos una lista con las personas o empresas que nos gustaría conocer (véase tabla 6.1). Deberíamos tener una idea clara de los grupos de personas y empresas con las que queremos ponernos en contacto y a quién podrían estar prestando su atención.

Tabla 6.1. ¿Quién influye en nuestros clientes potenciales?

¿A QUIÉN QUEREMOS CONOCER?	¿QUIÉNES SON LAS PERSONAS MÁS INFLUYENTES EN SU SECTOR?	¿A QUIÉN CONOCEMOS QUE PUEDA PRESENTARNOS A UNA PERSONA INFLUYENTE?

Las personas a las que están escuchando pueden ser la clave para nosotros. En lugar de centrarnos en ventas individuales, dedicaremos nuestro networking a generar contactos influyentes.

¿Quiénes son las personas más influyentes en nuestro sector y cómo puedo reunirme con ellas?

> **Nota:** Dedicaremos nuestro *networking* a generar contactos influyentes.

Debemos comenzar analizando nuestra red de contactos actual. ¿Quién está hablando con la gente a la que queremos conocer? Ésas son las personas que tienen que difundir nuestro mensaje.

Antes de conseguir que difundan nuestra idea, nos preguntaremos por qué querrían mantener una relación con nosotros. Si son las personas más influyentes en su campo, mucha gente intentará conocerlos e influir en ellos. ¿Por qué deberíamos destacar sobre los demás? ¿Por qué querrían asociarse con nosotros?

En cuanto consigamos realizar el contacto, ayudará mucho apoyarles en lo que están intentando obtener. Averiguaremos sus principales objetivos y les proporcionaremos contactos buenos y adecuados, escogiendo el momento más oportuno para conseguir el mayor impacto posible.

Pero primero tenemos que conseguir que nos conozcan antes de hacerlo. Naturalmente, es muy útil que nos consideren personas influyentes y expertos en nuestro sector. Utilizar los medios sociales para construir nuestra imagen y establecer nuestra credibilidad así como profesionalidad puede darnos notoriedad.

CÓMO RECONOCEN NUESTROS VALEDORES LA OPORTUNIDAD PARA RECOMENDARNOS

Antes de pedir a alguien que realice presentaciones en nuestro nombre, tenemos que hacernos dos preguntas:

▶ ¿A quién conocen?

▶ ¿Cómo los conocen?

No desaprovecharemos la oportunidad de que alguien nos recomiende pidiendo presentaciones de personas que probablemente no conozcan. En su lugar, tenemos que pensar en las personas con las que mantienen relaciones diarias, como clientes o proveedores, u otros contactos con los que se reúnan. Si conocemos bien a una persona, podemos saber más sobre el trabajo de su cónyuge, de sus vecinos, amigos y familia. No estoy insinuando que los acosemos o que los interroguemos (y ¡espero que no lo hagáis!) pero, como ya hemos visto, las oportunidades pueden surgir a través de distintas relaciones.

Pensemos en cinco personas de nuestra red de contactos, clientes, proveedores, amigos o familia. ¿Con quién suelen hablar en su vida profesional? ¿Sabemos a qué se dedican sus familiares o amigos? Más adelante, en este libro, hablaremos sobre un director bancario que me presentó al director comercial de una importante compañía aérea porque entrenaba al hijo del director comercial en un equipo de futbol infantil. ¿Las personas de nuestra red tienen contactos "ocultos" similares?

Utilizando la tabla 6.2, haremos una lista de los contactos que tenemos en nuestra red y comenzaremos a establecer quién está en la red de nuestras relaciones.

Tabla 6.2. ¿A quién conoce nuestra red de contactos?

NOMBRE DEL CONTACTO	NUESTRA RELACIÓN	¿A QUÉ SE DEDICAN?	¿CON QUIÉN SE RELACIONAN EN SU TRABAJO?	¿QUIÉN ESTÁ EN SU RED DE CONTACTOS PERSONAL?

La principal razón por la que planteo este tema es para animarnos a pensar en las conversaciones que nuestros contactos mantienen con nuestros clientes potenciales y cómo de probable será que reconozcan una oportunidad para nosotros.

> **Nota:** Pensar en las conversaciones que nuestros contactos mantienen con nuestros clientes potenciales.

Puede ser muy tentador considerar sólo los contactos y la experiencia profesional de alguien cuando les pedimos una referencia y expresar nuestra petición en términos profesionales.

Si explicamos las necesidades de nuestro cliente potencial ideal en términos meramente comerciales, un contacto que sea un familiar o un amigo puede que no mantenga una conversación suficientemente profunda con los clientes potenciales como para permitirles reconocer una oportunidad para nosotros.

De hecho, puede que no se den cuenta de que conocen a la persona perfecta para nosotros y que se puede encontrar entre sus primos, compañeros de golf o vecinos de al lado porque nosotros nos centramos sólo en las relaciones comerciales de nuestros clientes potenciales.

En una conversación reciente, uno de mis posibles valedores mencionó, de pasada, cómo se ganaba la vida su marido. Sólo lo dijo porque el lugar de trabajo de su marido está cerca de donde vivo, no obstante podría ser un excelente contacto para mí, posiblemente el cliente perfecto. No se le había ocurrido antes porque las conversaciones que habíamos mantenido se centraban en un mercado diferente, uno en el que ella tenía personalmente muchos años de experiencia profesional.

¿POR QUÉ NECESITAN NUESTROS SERVICIOS?

Centrémonos en unos cuantos de nuestros clientes actuales, el tipo de clientes que nos gustaría duplicar conociendo a personas o bien a compañías con necesidades similares.

Pensemos en nuestros éxitos del pasado, por qué nos contrataron esos clientes.

Convirtamos esta cuestión en un argumento convincente para que nuestros contactos nos avisen cuando conozcan a un cliente potencial para nosotros.

Por ejemplo, si fuéramos un asesor en nuevas tecnologías, aunque los amigos y la familia de nuestro cliente potencial no sepan que está buscando soluciones tecnológicas más modernas, sí pueden saber cuándo esa persona pretende trasladar su negocio de un despacho a un local comercial y necesitar más empleados. Es muy probable que, en esa fase, necesite soluciones tecnológicas avanzadas como, por ejemplo, un servidor y ordenadores conectados en red.

> **Nota:** Pensemos en nuestros éxitos del pasado, por qué nos contrataron esos clientes. Convirtamos esta cuestión en un argumento convincente para que nuestros contactos nos avisen cuando conozcan a un cliente potencial para nosotros.

En pocas palabras, facilitaremos lo máximo posible a nuestros posibles valedores que nos recomienden, describiendo a las personas que ayudamos en términos que todo el mundo pueda comprender, y utilizando sus funciones y las actividades de los clientes potenciales para esbozar las razones por las que es probable que necesiten nuestra ayuda.

Utilizando la tabla 6.3, pensemos en las razones por las que nos contratarían. Este ejercicio nos ayudará a transmitir esta información a nuestros valedores potenciales.

Tabla 6.3. ¿Por qué nos contratan?

NOMBRE DEL CLIENTE	¿QUÉ SERVICIOS LE HEMOS PROPORCIONADO?	¿POR QUÉ NECESITAN NUESTROS SERVICIOS?	¿CÓMO HABRÁ RECONOCIDO LA NECESIDAD SU RED DE CONTACTOS?

HACER LAS PREGUNTAS ADECUADAS

Para conseguir que la gente piense en su red de contactos completa, tenemos que hacer las preguntas adecuadas. El formato que se ha utilizado durante años en los grupos de networking ha sido la expresión ideal: "¿A quién conoces que...?".

Se trata de una expresión potente porque es una pregunta "abierta". No permite una respuesta sí/no, como por ejemplo: "¿Conoces a alguien que...?".

"¿A quién conoces que...?", implica una respuesta positiva y obliga a las personas a pensar antes de responder. Si la comparamos con la expresión que se utiliza con más frecuencia: "Si conoces a alguien que...", que ¡ni tan siquiera requiere una respuesta!

Si presuponemos una respuesta positiva, siempre aconsejo crear las condiciones en las que existan más posibilidades de recibir una. Enfocaremos nuestra petición donde sepamos que habrá una respuesta positiva. Se derivará del conocimiento de la red de contactos de la persona a la que estamos preguntando.

Nota: Enfocaremos nuestra petición donde sepamos que habrá una respuesta positiva.

¿A quién conocerán nuestros contactos?, ¿comprenderán la situación y el negocio de nuestro cliente potencial lo suficientemente bien como para reconocer el problema que están experimentando y cómo podemos solucionarlo nosotros?

Nuestra petición no puede ser demasiado amplia, o nuestros valedores tendrán que devanarse los sesos intentando recordar cuál de nuestros servicios o productos sería perfecto para el cliente potencial. Si les cuesta demasiado esfuerzo, nuestros valedores no estarán preparados para hacerlo y, probablemente, decidirán no molestarse.

Cuando organizaba grupos de networking, solíamos tener muchos miembros de varias compañías telefónicas de bajo coste y empresas de servicio público del sector del gas o la electricidad.

Más de una vez presencié cómo algún representante de dichas empresas se levantaba y, delante del grupo de networking, preguntaba por "cualquiera que tenga un teléfono". No hace falta decir que la persona que hacía ese tipo de petición se iba a casa abatida y con las manos vacías.

La razón era simple. La petición era demasiado general. ¿A cuántas personas conocemos que tengan teléfono? Creo que es justo suponer que, para nosotros, es difícil llegar a una respuesta demasiado específica.

Si es así, ¿cómo responderíamos a dicha petición? ¿Estaríamos dispuestos a presentar a esa persona a cada uno de los contactos que conozcamos que tengan teléfono? Es muy poco probable porque sería una tarea demasiado ardua y nos llevaría demasiado tiempo hacerlo.

En cuyo caso, ¿cómo decidimos a quién debemos presentárselo? Tenemos que pensar en una red de contactos muy grande y escoger a varios, no tenemos un procedimiento que nos ayude a realizar la selección. Una vez más, se trata de un trabajo monumental que probablemente abordemos con poco entusiasmo.

Por el contrario, ¿qué podía haber hecho el representante de la empresa de servicios públicos?

La respuesta es ser más específico en sus peticiones, por ejemplo, pidiendo contactos a personas jubiladas con un presupuesto limitado y con familiares que vivan lejos y, por lo tanto, con la necesidad de ahorrar dinero en su factura telefónica.

Tenemos que hacer la selección por nuestros valedores. Debemos ser específicos sobre las referencias que queremos y facilitarles el trabajo de tal manera que lo puedan realizar de forma automática.

Vamos a hacer un ejercicio práctico: en el momento que os pregunte si conocéis a alguien que tenga un padre anciano que viva solo y sin atención, vuestro subconsciente se pondrá en marcha y, si conocéis a alguien que reúna las condiciones, generará una imagen de esa persona en vuestra mente.

Si os pregunto a quién conocéis que acabe de irse a la universidad o que tenga hijos que van a empezar la universidad, si conocéis a alguien, pensareis en él en este momento. Estoy haciendo la selección por vosotros.

> **Nota:** Tenemos que hacer la selección por nuestros valedores. Debemos ser específicos sobre las referencias que queremos y facilitarles el trabajo de tal manera que lo puedan realizar de forma automática.

Si os pregunto ¿a quién conocéis que acabe de tener un hijo?, si conocéis a alguien, seguro que habéis pensado rápidamente en él. Una vez más, estoy haciendo la selección por vosotros.

Lo bueno de este método es que podemos decidir qué solicitar basándonos en nuestro conocimiento de la edad, procedencia sociocultural y los círculos con los que nos relacionamos. Podría preguntar si conocen a un chico de 18 años que se haya ido a la universidad, o si conocen a una persona de 30 años que haya tenido un hijo y si conocen a una persona de mediana edad cuyo padre sea muy mayor.

A través de estos pasos podemos incrementar las probabilidades de recibir una respuesta positiva.

DESCRIBIR UN PERFIL

Como acabamos de ver, el flujo y la cantidad de referencias que recibimos dependen en gran medida de la calidad del mensaje que transmitimos a nuestra red de contactos y, en particular, en su capacidad para detectar la oportunidad ideal para presentarnos. Después de reconocer la oportunidad, nuestro valedor tiene que poder plantear a nuestro cliente potencial una entrevista con nosotros y conseguir que la otra parte se interese en aceptar nuestra llamada.

A muchas personas les resultará más fácil recomendarnos si podemos ayudarles a visualizar a la persona que queremos que tengan en su mente. Tenemos que ser muy precisos en las descripciones de las personas que pretendemos conocer.

Cuanto más específica sea nuestra petición, más precisa tiene que ser nuestra descripción, de este modo nuestros valedores los reconocerán puesto que nos hemos preparado adecuadamente y hemos personalizado nuestra petición de forma correcta.

Conseguiremos mayor impacto si dividimos el mensaje en trozos pequeños y le damos una estructura comprensible.

> **Nota:** Cuanto más específica sea nuestra petición, más precisa tiene que ser nuestra descripción.

Para generar referencias, el modelo más fácil de practicar es "problema-solución-beneficio".

- ► ¿Cuál es el "problema" de nuestro cliente potencial?
- ► ¿Cómo lo "resolveremos"?
- ► ¿Cómo se "beneficiarán" de nuestra solución?

Si podemos hacer entender esos puntos con claridad, a la gente le debería resultar más fácil realizar los contactos por nosotros. No debemos subestimar el poder de las historias convincentes para hacer entender nuestro mensaje.

En más de una década de networking, he visto la repercusión, una y otra vez, de la gente que consigue hacer entender sus ideas describiendo cómo ayudaron a un determinado cliente y cómo fue el resultado de su trabajo. Las personas responden a las historias que les hacen reír, historias que les asustan, historias que tienen un final especialmente feliz.

¿Qué hemos hecho por un cliente que haya tenido un gran impacto en sus negocios? ¿Qué habría ocurrido si no nos hubiéramos implicado? ¿Hay alguna historia digna de mencionar? No tenemos que contar una confidencia, sólo compartir los puntos principales.

También he visto a muchos personas fracasar a la hora de transmitir su mensaje y causar un mínimo impacto porque se han centrado demasiado en la teoría y han saturado a la gente con su lenguaje técnico, en lugar de ilustrarlos con ejemplos prácticos.

Durante un seminario, mis clientes me mostraron los resultados de la "tormenta de ideas" sobre marketing del consejo administrativo, que tuvo lugar la tarde anterior. Habían decidido estudiar una declaración única sobre la actividad principal de su empresa, su argumento de ventas. Después de debatirlo a fondo, propusieron lo siguiente:

"¿A qué nos dedicamos?

Integración de sistemas de gestión para el mercado intermedio británico que proporcionan intercambios comerciales rápidos utilizando tecnología avanzada."

¿Qué quiere decir esto? Si no pertenecemos al mismo sector, o a un negocio relacionado, es muy probable que no sepamos qué significa. Curiosamente, esta actividad solamente representa una parte de su negocio, sin embargo, propusieron este resumen de su actividad en su conjunto. La declaración está sobrecargada de jerga profesional con su propia visión, e implica un alto nivel de conocimiento.

Tengo dificultades con los términos "mercado intermedio", "intercambio comercial" e incluso con "networking". Todos ellos implican cierto nivel de conocimientos. Si la gente no participa activamente en nuestros negocios, pueden tener una visión diferente del significado de esos términos. Es muy importante describir nuestro negocio utilizando un lenguaje sencillo y comprensible, que hasta un niño pueda comprender, si queremos que nos ayuden las personas que no participan en nuestros negocios o en nuestro sector.

Nota: Describir nuestro negocio utilizando un lenguaje sencillo.

La primera vez que trabajé con este cliente, me di cuenta que a pesar de haber mantenido varias reuniones y conversaciones, seguía sin comprender a qué se dedicaban. Cuando iba a sus oficinas, empezaba a leer algunos estudios de caso del trabajo que habían realizado para sus clientes.

Un día, mientras leía esos estudios que describían los problemas a los que se enfrentaban sus clientes, las soluciones aportadas y los beneficios que disfrutaron como consecuencia del trabajo de la empresa, de repente todo me quedó claro.

Tenemos que preguntarnos si nuestro mensaje es atractivo, inolvidable y transmisible. ¿Permanecerá en la mente de la gente hasta el punto que lo recuerden cuando tengan que hacerlo? ¿Podrán recordar los puntos principales que necesitamos que entiendan? ¿Pueden explicárselo a nuestros clientes potenciales de manera que sea comprensible y que impulse a la acción?

> **Nota:** Tenemos que preguntarnos si nuestro mensaje es atractivo, inolvidable y transmisible.

Chip y Dan Heath, en su excelente libro Made to Stick, explican cómo debe ser una historia para que sea inolvidable: "la comprendemos; la recordamos y podemos volver a contarla posteriormente"[1].

Por último, tenemos que conseguir que nuestro valedor sea capaz de reconocer a la persona que necesita nuestra ayuda, que comprenda sus problemas, que esté seguro de plantear la cuestión y que realice la presentación.

SUSCITAR UNA RESPUESTA POR PARTE DEL CLIENTE POTENCIAL

El modelo "problema-solución-beneficio" es crucial para ayudar a nuestros valedores a preparar las conversaciones. Es fácil de recordar y fácil de repetir a otras personas. Si nos hemos preparado bien, conseguiremos que nuestro cliente potencial reconozca que nuestros servicios pueden resultarle convenientes y pueda interesarse en la referencia.

Para ayudar a ilustrar esta idea, hablé con Mikael Arndt, director ejecutivo de Arndt, una compañía dedicada a la formación empresarial afincada en Estocolmo. Le pedí a Mikael que trazara el perfil de un cliente potencial y que, a continuación, practicara el modelo "problema-solución-beneficio" con ese cliente.

Mikael prefiere conocer a directores comerciales que gestionen un equipo de, al menos, cinco representantes de ventas.

- ▶ Problema: Los directores de ventas pueden quejarse de que sus vendedores no consiguen suficientes reuniones con clientes, que no son lo bastante enérgicos o que no pasan el tiempo suficiente manteniendo reuniones con sus compradores.

- ▶ Solución: La mayoría de los vendedores saben qué hacer pero no lo hacen porque no están bien orientados en su objetivo. La formación de Mikael requiere la grabación de las llamadas reales que realiza el equipo de ventas con los clientes y, después, las analiza con ellos.

- ▶ Beneficio: Cuando los vendedores escuchan las llamadas grabadas, se dan cuenta de que han estado rindiendo por debajo de lo esperado, y Mikael les ayuda a estudiar los pasos principales que pueden dar para mejorar en su trabajo.

---

[1] Chip y Dan Heath (2008), Made to Stick. Arrow Books.

En un apartado anterior hablé sobre cómo los estudios de caso pueden ayudarnos a poner en práctica la teoría y hacer que nuestro mensaje sea más inolvidable y trasmisible.

Una vez que hemos ayudado a nuestro valedor a comprender cómo reconocer a la persona adecuada para nosotros y cómo podemos ayudarle con nuestra actividad, tenemos que compartir una historia con una situación similar que nos sucedió en el pasado siempre que sea posible. Hablaremos de cuál era el problema de nuestro cliente, cómo lo solucionamos y el resultado final que obtuvo nuestro cliente. Se trata de un modelo "problema-solución-beneficio" perfectamente envuelto en un ordenado paquete.

En cuanto a Mikael, me contó como había trabajado recientemente con una empresa que se quejaba de que su equipo de ventas no realizaba suficientes llamadas y que tampoco pretendían mejorar su actividad. No parecían preocupados porque tenían un buen sueldo sin tener que esforzarse mucho.

Mikael comenzó enseñando al equipo de ventas cómo se debía realizar una llamada, y las fases que la componen. Todos los trabajadores pensaban que ya estaban haciendo todo lo que Mikael les decía. Sin embargo, cuando escucharon las llamadas en vivo que Mikael les había pedido que grabaran, pudieron reconocer que no estaban rindiendo al nivel que ellos pensaban.

Después de reconocer estas deficiencias, el equipo de ventas se volvió más receptivo a las enseñanzas de Mikael y comenzaron a aplicar la metodología correcta. La empresa en cuestión triplicó las ventas durante las siguientes cuatro semanas.

Podemos utilizar una historia como la de Mikael que incorpora los tres elementos del modelo, "problema-solución-beneficio", pero de tal manera que acerque la teoría a la práctica diaria.

Es más probable que la gente que escuche la historia de Mikael se sienta más cómoda recomendando su empresa y aproveche las oportunidades para hacerlo, que si Mikael se limita a decir que quiere hablar con cualquiera que necesite formación comercial.

Lo verdaderamente importante es que recordarán su historia y los elementos principales, y los repetirán lo suficientemente bien como para generar el interés del cliente potencial en una conversación posterior.

PREGUNTAR A NUESTRA RED DE CONTACTOS

Naturalmente, ¡podríamos preguntar a nuestro valedor qué tendrían que saber para poder recomendarnos!, aunque yo no iniciaría una conversación con esa pregunta.

En esta etapa deberíamos ser conscientes, primero, de la importancia de construir relaciones pero, una vez que la confianza esté en los niveles correctos y sepamos que la gente se siente cómoda recomendándonos, ¿por qué no lo íbamos a hacer?

Cuando respondamos, tendremos presente el consejo que hemos mencionado anteriormente y lo haremos con un mensaje sencillo, describiendo imágenes detalladas. Aunque si nos orientan sobre la información que creen que deberían conocer, la gente se sentirá más segura a la hora de trasmitir nuestras referencias.

RESUMEN

En este capítulo hemos analizado lo siguiente:

1. Asegurarnos de que nuestro mensaje es sencillo y específico.

2. Asegurarnos de que nuestro mensaje está personalizado para que sea relevante para la persona que nos puede recomendar y para sus contactos.

3. Asegurarnos de que nuestros valedores pueden reconocer las oportunidades de referencias por nosotros.

7. ¿Quién ocupa la mejor posición para recomendarnos?

Como hemos señalado en capítulos anteriores, identificar a las personas que ocupan la mejor posición para recomendarnos, ya sea por su conocimiento de nuestro mercado o por el contacto que mantienen con nuestros clientes potenciales, nos ayudará a desarrollar fuentes de nuevas oportunidades.

Las personas que conocen nuestro sector pueden comprender y reconocer las oportunidades por nosotros con facilidad. Por mucho que podamos esforzarnos para que nuestra red conozca a quién podemos ayudar y cómo, las personas que han experimentado lo que hacemos siempre tendrán un conocimiento mayor.

Nota: Las personas que conocen nuestro sector pueden comprender y reconocer las oportunidades por nosotros con facilidad.

Por ejemplo, para un diseñador gráfico puede ser más fácil generar referencias de impresores o desarrolladores Web que de una persona que no pertenece a ese sector.

No estoy sugiriendo que descartemos a las personas que quieren recomendarnos, que saben como hacerlo pero que es posible que no estén hablando con las personas adecuadas.

Sin embargo, una vez que hemos confirmado que realmente no tienen la oportunidad de recomendarnos, puede ser más aconsejable centrar nuestros esfuerzos en otras relaciones.

Al comienzo de un programa de formación sobre la creación de una estrategia de referencias, pedí a uno de mis clientes que identificara a cinco personas que, en su opinión, podrían ser buenos valedores para él.

En la tercera sesión de trabajo, se hizo evidente que uno de los cinco valedores no estaba en disposición de recomendarle con regularidad. Le había dedicado mucho tiempo, incluso se ganó su confianza, pero no estaba manteniendo las conversaciones que conducirían a oportunidades de referencias con la suficiente frecuencia.

Tomó la decisión de seguir en contacto con esa persona pero centró su estrategia de referencias en otras relaciones.

Sería muy difícil justificar comercialmente el tiempo invertido en desarrollar la relación desde el punto de vista de las referencias que estaría en disposición de proporcionar.

DESTACAR SOBRE LOS DEMÁS

Pensemos en antiguos compañeros o competidores que hayan cambiado de actividad, proveedores que se especializan en nuestro mercado o empresas complementarias que comparten la misma clientela.

Si queremos sacar ventaja a nuestros competidores, tenemos que ser creativos. En nuestro sector existirán promotores e intermediarios evidentes a los que todo el mundo intentará acercarse. Por ejemplo, dentro de los servicios profesionales, existe lo que denomino "los Cuatro Fantásticos": abogados, contables, asesores financieros y banqueros.

> **Nota:** Si queremos sacar ventaja a nuestros competidores, tenemos que ser creativos.

Dependiendo de su especialización (por ejemplo, los registradores de la propiedad pueden confiar más en arquitectos y peritos para conseguir presentaciones), cuando les pregunto quién es más probable que los recomiende, cada uno de los representantes de las cuatro profesiones citadas anteriormente mencionarán a los otros tres. Después de todo, suelen hablar con clientes similares sobre temas parecidos aunque tengan distinta categoría profesional. También son profesiones en las que los clientes depositan su total confianza. Eso significa que cada uno intenta acercarse continuamente a los demás con la intención de establecer una relación de intercambio de referencias.

Podemos seguir destacando sobre los demás cuando buscamos referencias en lugares obvios. Como hemos analizado, muy pocos de nuestros competidores tendrán una estrategia de referencias y, si la tienen, dependiendo del sector, es poco probable que estén centrando sus esfuerzos en la creación de relaciones sólidas. Mientras que nuestros competidores puede que intenten acercarse ocasionalmente a los intermediarios, nosotros podemos hablar con ellos continuamente, consiguiendo que nos conozcan dentro de las empresas y ganándonos su lealtad.

Sin embargo, si podemos pensar de forma diferente a nuestros competidores, podremos identificar fuentes potenciales de referencias en las que nunca pensarán. Hay un par de métodos que nos ayudarán a identificar a los intermediarios menos evidentes.

EL PROCESO Y LAS PERSONAS

¿Por qué la gente compra nuestros productos o contrata nuestros servicios? ¿Qué ha provocado esa necesidad?

Dependiendo de la naturaleza de nuestro negocio, es muy probable que formemos parte de un proceso más grande motivado por un cambio en nuestro negocio o en nuestra vida. A menudo, las necesidades surgen del cambio y esos cambios pueden producir más de una necesidad.

Imaginemos, por ejemplo, que nos dedicamos a instalar sistemas de telecomunicaciones. Podemos tener clientes que necesiten nuestros servicios porque están trasladando sus oficinas. El proceso del que forman parte, el traslado de las oficinas, requiere más servicios que la simple instalación de la red telefónica.

> **Nota:** A menudo, las necesidades surgen del cambio y esos cambios pueden producir más de una necesidad.

Esos clientes también pueden necesitar los servicios de agentes inmobiliarios, abogados, peritos, arquitectos, distribuidores de inmobiliario de oficinas, papelerías, impresores, publicistas, ingenieros de redes, empresas de limpieza, etcétera.

Todos estos negocios están relacionándose con nuestros clientes potenciales cuando es más probable que necesiten nuestra ayuda. Por lo tanto, todos esos negocios son valedores potenciales para nuestra empresa. Tienen la oportunidad de recomendarnos y están en disposición de hacerlo, precisamente cuando surge la necesidad.

Algunas empresas estarán en mejor disposición para recomendarnos que otras, algunas serán de confianza. En el ejemplo anterior, el ingeniero de redes o el arquitecto son, probablemente, los mejor situados para recomendar a la empresa de telecomunicaciones debido a su especialización relevante y de confianza o el timing adecuado de sus trabajos.

Nota: Algunos negocios estarán en mejor disposición para recomendarnos que otros.

Practicaremos este ejercicio cuando pensemos en nuestro propio negocio. El caso que acabamos de mencionar es sólo un ejemplo de por qué alguien podría llamar a una empresa instaladora de sistemas de telecomunicaciones. Debemos hacer una lista con las razones por las que alguien utiliza nuestros productos o servicios y por qué se pueden haber motivado. Después, intentaremos identificar a tantas empresas como sea posible que también presten esos servicios.

Una vez que hayamos realizado esa tarea, empezaremos a determinar los tipos de empresas que aparezcan repetidamente. Esas serán con las que tendremos que hablar y con las que intentaremos mantener una relación de intercambio de referencias.

Otra ventaja más de este ejercicio es que nos ayudará a reconocer áreas de nuestro sector o los tipos de clientes en los que nos especializamos. Una vez que conocemos nuestros mercados específicos, identificaremos fácilmente a otros proveedores de esos mercados con los que podemos desarrollar una relación de intercambio de referencias. A medida que crezca nuestra reputación en ese mercado, el resto de proveedores querrán trabajar más estrechamente con nosotros.

Otro método consiste en pensar en las personas con las que nos relacionamos dentro de las empresas de nuestros clientes y determinar quién más se relaciona con esa gente en ese cargo o puesto de trabajo.

Por ejemplo, si solemos tratar directamente con el director financiero de una compañía; si podemos determinar quién más se relaciona con los directores financieros, sabremos que son las personas más indicadas para recomendarnos. Como en el ejemplo que ya mencionamos anteriormente, buscaremos a las personas que sean más dignas de confianza y cuyo consejo sea más relevante para nuestro trabajo.

VENTAJA COMPETITIVA

Nuestros competidores son otro grupo de personas con la oportunidad ideal para recomendarnos, un grupo al que no solemos prestar mucha atención. Después de todo, ¿por qué nos recomendarían nuestros rivales?

No obstante, existen muchos ejemplos de competidores que trabajan juntos y que apoyan a las empresas de los demás. Mucha gente piensa que tener competidores fuertes fortalece sus propios negocios, mejorando el perfil y los estándares de su sector.

> **Nota:** Existen muchos ejemplos de competidores que trabajan juntos y que apoyan a las empresas de los demás.

Cavett Robert fundó la National Speakers´ Association en EE. UU. el año 1972. Por aquel entonces, sólo una pequeña proporción de compañías utilizaban oradores o conferenciantes externos en EE. UU. Robert quería cambiar esa situación, para mejorar la calidad dentro de la profesión de orador y para llamar la atención sobre la oratoria como una profesión en sí.

Tenía la visión de una organización en la que los oradores pudieran mejorar su rendimiento y sus negocios a través del conocimiento, estímulo y experiencias compartidas. Su lema era: "no nos preocupemos por cómo vamos a repartirnos el pastel, hay suficiente para todos. ¡Hagamos un pastel más grande!".

Además, existen varias razones por las que podríamos querer recomendar a la competencia, y por las que nuestros competidores estarían dispuestos a recomendarnos. Es posible que no estemos en la mejor situación para atender las necesidades de un cliente debido a, por ejemplo, nuestra ubicación o la experiencia profesional requerida. En estos casos, es posiblemente mejor recomendarlos a un competidor y mantener su buen nombre para el futuro que ofrecer un servicio deficiente o disculparse y abandonarlos a su suerte.

Establecer una relación de intercambio de referencias con nuestros competidores también puede proporcionarnos ahorros considerables. Muchos asesores y formadores comerciales crearán un sistema de socios para ayudarles a hacerse cargo de contratos que, de otra manera, puede que sean demasiado grandes, o puede que se desarrollen regional o internacionalmente cuando ellos no pueden viajar.

Fuera de esa asociación, pueden seguir compitiendo con las personas con las que trabajan conjuntamente en otras ocasiones.

Si comprendemos quién gestiona nuestro mercado y cómo encajan con nuestra propia oferta, podremos establecer una serie de colaboraciones y proyectos comunes que atraerán empresas que, bajo otras circunstancias, competirían con nosotros para atraer clientes.

ESTABLECER GRUPOS DE SINERGIA Y REDES DE CONTACTOS

No basta con reconocer a las personas a las que podemos convertir en referencias. Más adelante, analizaremos detalladamente cómo podemos convertir a esos contactos en valedores.

Desafortunadamente, me he encontrado con muchos casos en los que las empresas consiguen trabajar con quien podría recomendarlos pero, después, se cruzan de brazos y esperan a que suceda algo (negocios, nuevos contactos, etcétera). Como cabe esperar, no sucede nada. Si queremos desarrollar una estrategia de referencias eficaz, es muy importante que seamos proactivos en vez de pasivos.

Aunque hay muchos ejemplos de empresas conjuntas y promociones de empresas complementarias, diseñadas para aumentar la cantidad de referencias entre las empresas, éstas se suelen olvidar una vez que se han establecido.

Nota: Es muy importante que seamos proactivos en vez de pasivos.

Si los directores de dos empresas se reúnen con regularidad en grupos de networking y acuerdan intercambiar referencias, ¿con qué frecuencia se extiende esa relación al resto de empleados en ambas compañías?

Si mantenemos una reunión exitosa y concretamos un acuerdo con otra empresa para intercambiar referencias, ¿qué posibilidades de éxito tendremos si no mantenemos reuniones de forma regular?

Para implantar de verdad una colaboración para el intercambio de referencias eficaz, se necesita tener poder de atracción e integrarse en la cultura de las dos empresas.

Durante los últimos años, hemos gestionado un programa para las empresas que ofrecen servicios profesionales, donde enseñamos cómo construir relaciones duraderas entre las personas de distintas empresas. En el programa reunimos a cinco personas de tres empresas, normalmente un bufete de abogados, una gestoría y cualquier otra empresa complementaria, como por ejemplo agencias de seguros, asesores financieros o bancos.

Nota: Para implantar de verdad una colaboración para el intercambio de referencias eficaz, se necesita tener poder de atracción e integrarse en la cultura de las dos empresas.

Los grupos se reúnen con regularidad durante un año y construyen juntos sus estrategias de referencias, trabajando en grupos de tres, uno de cada empresa. Mediante este procedimiento, todos consiguen conocerse mejor, comprender qué buscan los otros negocios desde el punto de vista de las referencias, y comienzan a reconocer oportunidades para cada una de las compañías. Y, además, a medida que se construyen las relaciones, descubren que quieren ayudarse mutuamente y empiezan a buscar presentaciones con más iniciativa y dinamismo.

Por ejemplo, he visto surgir varias alianzas estratégicas y nuevas operaciones empresariales de relaciones para el intercambio de referencias entre compañías.

Naturalmente, es necesario que existan sinergias sólidas entre las empresas asociadas para que su relación sea un éxito.

Uno de esos proyectos empresariales es Q&A People Matter, una colaboración entre dos compañías afincadas en Londres, Ablestoke Consulting, consultoría administrativa financiera, y Quin~essence, una compañía dedicada al sector de los recursos humanos.

Se habían reunido en un encuentro de networking en las oficinas de Ablestoke; el entendimiento mutuo fue de tal naturaleza que organizaron rápidamente una comida de trabajo complementaria y los directores de las dos empresas comenzaron inmediatamente a intercambiar presentaciones y a buscar oportunidades para las dos compañías.

Las dos empresas pronto reconocieron que compartían los mismos objetivos, existía un vacío en el mercado y ellos se encontraban en una situación idónea para ocuparlo.

Siguiendo el consejo de un tercero, establecieron en el año 2010 una marca de comercialización conjunta, Q&A People Matter.

Neil Mutton, director ejecutivo de Ablestoke, me explicó las razones de este éxito:

"Más allá del respeto mutuo, que siempre es la primera señal positiva cuando practicamos el networking, existe una honestidad verdadera y similitudes en el estilo personal de gestionar ambas compañías.

Resulta que las empresas están culturalmente vinculadas, las juntas directivas persiguen los mismos objetivos, se tienen completa confianza, además las dos estamos gestionadas y 'participamos' de una manera muy transparente y honesta.

Naturalmente, hay un beneficio mayor si existe una sinergia comercial además de la referencia ocasional, que en este caso existe: proporcionar trabajos para el beneficio mutuo y equitativo de ambas compañías. De hecho, las dos administraciones piensan que están consiguiendo el mejor acuerdo, se trata de una combinación perfecta."

La alianza empresarial ha tenido un impacto positivo en la capacidad de los empleados de las dos compañías para reconocer oportunidades para ambas partes.

Neil también me comentó: "Ahora, los empleados de las dos empresas tienen una gama de servicios más amplia que ofrecer, por lo que el networking se vuelve más seguro y mucho más fácil.

El primer cliente de Q&A PM procedía de una 'necesidad' de Recursos Humanos internacional que el cliente había identificado. Esta conversación no se habría producido si no hubiera sido por la colaboración que Ablestoke mantuvo con Quin~essence y la gama de servicios adicionales que proporcionaban entre las dos compañías."

Tradicionalmente, muchas personas prefieren mantener alejados a sus competidores y buscan nuevas oportunidades de negocio en los encuentros de networking. Si podemos abrir nuestra mente a los beneficios que pueden aportar las colaboraciones, crearemos una gran cantidad de oportunidades. Algunas veces, que nos recomienden a un competidor potencial puede ser la mejor oportunidad para ampliar nuestros negocios.

RESUMEN

En este capítulo, hemos analizado lo siguiente:

1. Dónde están nuestros contactos principales y cómo desarrollar esas relaciones.

2. Principios básicos para optimizar los contactos de nuestra red.

3. Técnicas para generar más negocios a través de las referencias cruzadas.

Parte III
Cómo puede ayudarnos nuestra red de contactos a generar referencias

8. Los seis grados de separación y cómo influyen en nuestra estrategia de referencias

LOS SEIS GRADOS DE SEPARACIÓN

A medida que desarrollamos nuestra estrategia de referencias, nuestro enfoque tiene que cambiar de la visión convencional de vender a las personas de nuestra red de contactos a pasar a comprender cómo vender a través de ellas. Para poder reconocer el potencial que ofrece este método, no hay nada mejor que comenzar con la teoría de los seis grados de separación.

La teoría la popularizó inicialmente un relato corto publicado en el año 1929, titulado Láncszemek o Chains, del escritor Frigyes Karinthy. Uno de los personajes de la historia de Karinthy apuesta con un grupo de personas que podían nombrar a "cualquier persona entre los mil quinientos millones de habitantes de la Tierra y a través de como mucho cinco conocidos, uno de los cuales él conocía personalmente, podía relacionarse con el elegido".

Aceptado el desafío, el personaje encontró inmediatamente una ruta que iba desde él mismo hasta el ganador de un Premio Nobel.

Pudo demostrar que conocía a un jugador de tenis que entrenaba con el rey Gustavo de Suecia, quien presidía el Premio Nobel y que debía conocer, por lo tanto, al ganador del Premio Nobel.

Puesto que relacionar a personas célebres les parecía una tarea poco complicada, el personaje asumió un reto más difícil, encontrar una ruta a través de un trabajador de la fábrica Ford:

> "El trabajador conoce al encargado del taller, quien conoce a Henry Ford; Ford mantiene una relación de amistad con el director general de Hearst Publications, quien el pasado año se hizo buen amigo de Árpád Pásztor, alguien a quien no sólo conozco, sino que, por lo que yo sé, es uno de mis mejores amigos; de modo que podría pedirle que enviara un telegrama a través del director general, diciéndole a Ford que debería hablar con el encargado y el trabajador en el taller para que me monte un coche rápidamente, ya que da la casualidad que necesito uno"[1].

Hasta hace muy poco no conocía esta historia; siempre que había hablado sobre los seis grados de separación, había atribuido el descubrimiento al catedrático Stanley Milgram. A pesar de que Milgram nunca utilizó la expresión.

En su estudio[2] publicado el año 1967, Milgram intenta establecer hasta qué punto estamos relacionados entre nosotros. Decidió a través de un experimento determinar la "distancia" que existe entre dos personas en los EE. UU. Quería averiguar cuántos pasos existirían entre dos personas escogidas al azar.

Para conseguirlo, Milgram escribió a personas seleccionadas aleatoriamente en Wichita y Omaha, pidiéndoles que participaran en el estudio. Milgram quería que cada uno de ellos enviara un paquete a alguien que conocieran que pudiera estar un paso más cerca de los dos "objetivos" principales (destinatario final), una ama de casa en Sharon, Massachusetts, y un agente de bolsa en Boston.

Para hacer esto, tenían que seguir al pie de la letra las siguientes instrucciones:

▶ Añada su nombre a la lista en la parte inferior de la hoja para que la próxima persona que reciba esta carta sepa de dónde procede.

▶ Despegue una tarjeta, rellénela y reenvíela a la Harvard University. No necesita sello. La tarjeta es muy importante. Nos permite mantener un registro del progreso de la carpeta a medida que se dirige hacia al destinatario final.

▶ Si conoce al destinatario final personalmente, envíele esta carpeta directamente a él (o ella). Haga esto sólo si ha conocido previamente al destinatario final y si se conocen personalmente.

---

[1] Frigyes Karinthy (1929) Chain-Links. Aparece en el libro de Mark Newman, Albert Lasio-Barabasi y Duncan J. Watts (eds) (2006), The Structure and Dynamics of Networks, 21–6. Princeton University Press.

[2] Stanley Milgram, The Small World Problem, Psychology Today, 1967, Vol 2, 60-67.

▶ Si no conoce al destinatario final a nivel personal, no intente ponerse en contacto con él (ella) directamente. En su lugar, envíe esta carpeta (tarjetas y todo) a un amigo que tenga más posibilidades que usted de conocer al destinatario final. Puede enviar la carpeta a un amigo, familiar o conocido, pero debe ser alguien a quien conozca personalmente.

Finalmente, se recuperaron 42 de las 160 cartas, algunas necesitaron cerca de una docena de intermediarios. Curiosamente, a partir de la historia de Karinthy, publicada casi 40 años antes, la media de intermediarios por persona fue de 5,5.

LA TEORÍA DE LOS SEIS GRADOS DE SEPARACIÓN EN LA ACTUALIDAD

El dramaturgo John Guare fue quien acuñó la expresión "seis grados de separación" en su obra homónima[3], de 1991. Por supuesto, la historia de Karinthy, el experimento de Milgram e incluso la obra de teatro de Guare existían antes de que el mundo se interconectara a través de Internet. Con toda seguridad, con la aparición de Internet, las redes sociales y las telecomunicaciones móviles, nos relacionamos más que nunca entre nosotros.

En el año 2008, Microsoft, elaboró un informe[4] en EE. UU. que estudiaba una base de datos de 30.000 millones de mensajes de texto enviados en junio de 2006. Analizando el número de contactos comunes en la base de datos, el estudio indicaba que dos personas estaban conectadas por menos de otras siete.

Varios estudios similares, elaborados en los últimos años también han indicado que no estamos más interconectados que antes de la aparición de los medios digitales.

No obstante, lo que nos han permitido dichos medios sociales es la capacidad para ampliar más nuestras redes de contactos y, lo que es más importante, reconocer las rutas a través de las que llegaremos con más facilidad a nuestro propio "objetivo".

Nota: No estamos más interconectados que antes de la aparición de los medios digitales.

---

[3] Para saber más sobre la obra de teatro, visite la dirección Web, http://www.barabasilab.com/LinkedBook/chapters/3Ch_SixDegreesofSeparation.pdf.

[4] http://www.washingtonpost.com/wp-dyn/content/article/2008/08/01/AR2008080103718.html.

Mediante sitios Web como LinkedIn y Facebook, donde podemos ver las redes de nuestros contactos, las conexiones se han vuelto más visibles y más accesibles. Examinaremos este tema, en especial LinkedIn, con más detalle en un próximo capítulo.

EL JUEGO DE LOS SEIS GRADOS DE SEPARACIÓN

En muchas de mis conferencias y seminarios, organizo el "juego de los seis grados". Pido a los participantes, en grupos, que debatan cómo se conectarían con una serie de personas muy famosas utilizando sus contactos actuales.

Sólo en el año pasado, he presentado en mis charlas a un antiguo entrenador de Cristiano Ronaldo en la escuela de fútbol de Madeira, a una antigua novia de un ahijado de la reina Isabel II, a un vecino del tenista Andy Murray y a alguien cuyo mejor amigo estaba decorando la casa de Bill Gates por aquel entonces.

Incluso tuve a un doble oficial de Bill Gates en una de mis conferencias.

Aunque, ¡no le reconocí!

Ivan Misner advierte que la dependencia de los seis grados de separación es peligrosa para las personas que pretenden aprovechar al máximo sus redes de contactos:

> "Creo que este mito genera pasividad. El concepto confiere a algunas personas una falsa sensación de expectativa de que los contactos tienen que llegar tarde o temprano, sin importar lo que hagan"[5].

En el libro The Tipping Point, Malcolm Gladwell explica que, cuando Milgram analizaba los resultados de su experimento, descubrió que la mitad de los paquetes que llegaron a su destinatario en Sharon, Massachussetts, fueron entregados por los mismos tres hombres. Gladwell dedujo de este dato que:

> "La teoría de los seis grados de separación no quiere decir que todo el mundo está conectado con todo el mundo a través de sólo seis pasos. Quiere decir que existe un reducido número de personas que están conectadas con todas las demás en unos pocos pasos, y el resto de nosotros estamos conectados con el mundo a través de esas personas especiales"[6].

Gladwell denomina a esas personas especiales "conectores". Basándonos en esta teoría, para que los seis grados de separación funcionen eficazmente para nosotros, debemos tener "conectores" en nuestra red de contactos.

---

[5] `http://www.entrepreneur.com/marketing/networking/article177986.html`.

[6] Malcolm Gladwell (2001), The Tipping Point: How Little Things Can Make A Big Difference. Abacus.

Cuando Misner indica eso mismo, según los estudios de Milgram, sólo el 29 por 100 de la población mundial está, de hecho, separada del resto por aproximadamente seis grados, tenemos que comprender que para conseguir las presentaciones que necesitamos para nuestros negocios, tendremos que desarrollar una red de contactos que proporcione las conexiones adecuadas, en lugar de esperar a que lleguen.

Nota: Tendremos que desarrollar una red de contactos que proporcione las conexiones adecuadas.

Creo que en la economía actual, tan interconectada, la mayoría de nosotros tenemos la capacidad para encontrar los contactos que necesitamos para relacionarnos con las personas que deseamos conocer.

La clave está en reconocer dónde están esos contactos, desarrollar las relaciones principales y centrar nuestro mensaje.

Nota: Creo que en la economía actual, tan interconectada, la mayoría de nosotros tenemos la capacidad para encontrar los contactos que necesitamos para relacionarnos con las personas que deseamos conocer. La clave está en reconocer dónde están esos contactos, desarrollar las relaciones principales y centrar nuestro mensaje.

SUPERIORIDAD NUMÉRICA

Si tenemos la intención de sacar el máximo partido a los seis grados de separación, es importante crear una red que sea lo suficientemente sólida como para proporcionar las rutas para llegar a los contactos que necesitamos y la voluntad para transmitir nuestro mensaje.

Existe una escuela de pensamiento que defiende que con cuantas más personas nos relacionemos, más poderosa será nuestra red de contactos. Los mayores representantes son los LinkedIn Open Networkers (que analizaremos con más detalle, en un capítulo posterior), y alguno de ellos cuenta con más de 40.000 contactos en su red.

LinkedIn no es la única red social. Miembros de otras redes como Ecademy, Twitter y Facebook también creen que el éxito sólo se mide en cifras, y fomentan la creación de grandes redes, seguidores o amigos a costa de la calidad de las interrelaciones.

Mi enfoque es un poco diferente, como indica mi lema comercial: "Conectar no es suficiente". Creo que nuestra red de contactos debería ser amplia y profunda, con una red heterogénea que amplíe nuestro alcance pero manteniendo relaciones profundas con las personas para hacer que ese alcance sea auténtico y valioso.

Aunque no creo en conectar por conectar, creo firmemente que tenemos que relacionarnos con una red de personas heterogénea, con diferentes trayectorias profesionales, en distintos sectores y que procedan de diferentes áreas.

Nota: Tenemos que relacionarnos con una red de personas heterogénea.

En su libro Truth or Delusion, Misner escribe sobre esto:

> "Forma parte de la naturaleza humana agruparse en función de la edad, educación, ingresos, profesión, raza, vecindad, estatus social, religión, etcétera. Relacionarse con personas similares facilita mantener conversaciones, compartir experiencias similares, charlar e intercambiar ideas. Esta visión no nos suele exponer a nuevas experiencias ni a nuevos puntos de vista y, en especial, no nos proporciona muchas oportunidades para abrir nuevas fronteras en los negocios o en el marketing"[7].

Por mi experiencia, las personas cuyas redes redes de contactos constan principalmente de gente que pertenece a la misma industria tienen más dificultades para encontrar las relaciones que necesitan.

Si nuestra red es demasiado pequeña, nuestros contactos conocerán, con toda probabilidad, a muchas de las mismas personas que los demás, y faltará diversidad en la gente con la que se relacionarán.

Nuestra red de contactos también tiene que alcanzar masa crítica, un número de personas cuyo alcance nos permitirá conseguir las referencias que estamos buscando.

Nuestra red crecerá exponencialmente, aunque no necesitamos tener una cifra fija como punto de partida. Si, por ejemplo, conocemos a 250 personas, cada una de las cuales conoce a 250 personas más, nosotros podremos tener un alcance de segundo grado de 62.500 personas. Si cada uno de esos contactos de segundo grado conoce a 250 personas, de repente nos encontramos, en teoría, a sólo dos pasos de 15.625.000 personas. ¡Se trata de un alcance muy impresionante!

Si conocemos a 10 personas que conocen a 10 personas más y que, a su vez, conocen a otras 10, nuestro alcance es mucho más modesto, 1.000 personas.

---

[7] Ivan R. Misner, Mike Macedonio y Mike Garrison (2006) Truth or Delusion? Busting Networking's Biggest Myths. Thomas Nelson.

Uno de mis clientes estaba estudiando cómo utilizar su red de contactos para desarrollar su trayectoria profesional en servicios financieros. Desempeñaba una función de poca importancia en su compañía y se esforzaba por progresar en ella, por lo que necesitaba mentores externos para que le ayudaran a avanzar.

Intentamos establecer juntos su red de contactos para encontrar las rutas que proporcionaría a la gente con la que tenía que hablar.

¿A quién conoces a través de tu trabajo?, le pregunté.

A nadie, me respondió.

¿Cuáles son tus aficiones?, le pregunté.

No tengo ninguna.

¿Qué me dices de tu familia?

En realidad, no hablamos mucho.

Aunque en muchos de mis artículos y conferencias suelo céntrame más en la importancia de la creación de relaciones que en la construcción de redes de contactos, tiene que haber personas en nuestra red con las que establecer relaciones en primer lugar. El equilibrio es la clave en esta cuestión.

Mantendremos nuestra atención en la creación de una red lo suficientemente grande como para apoyarnos pero no tanto como para que no podamos mantener relaciones con las personas que la componen.

CENTRARSE EN LA CONVERSACIÓN MÁS QUE EN LA CONEXIÓN

A medida que construimos nuestra red de contactos, nos preocuparemos por mantener una verdadera relación con las personas con las que interactuamos.

Algunos sitios Web nos permiten "Autoconectar", añadiendo personas a nuestra red de contactos sin haber mantenido nunca una conversación.

Siempre me sorprende la cantidad de invitaciones que recibo en LinkedIn y Facebook por parte de personas que no conozco y que ni se preocupan por explicarme por qué quieren relacionarse conmigo.

> **Nota:** Nos preocuparemos por mantener una verdadera relación con las personas con las que interactuamos.

Si acepto las invitaciones, es muy probable que no vuelva a saber nada de ellos nunca más. No se diferencia en nada de las personas que se acercan a nosotros en los encuentros de networking, nos dan la mano, nos ofrecen su tarjeta de visita y después se largan. ¡Nos convertimos en otra muesca en su revolver!

No entiendo qué valor tiene relacionarse con alguien que no nos conoce o que ni tan siquiera intenta hacerlo. Sin una conversación, ¿cómo puede haber confianza o entendimiento? ¿Por qué querría contratarnos alguien sin esa relación, y menos aún recomendarnos?

Echemos un vistazo a nuestra red de contactos en LinkedIn. Si hemos conectado con gente en el pasado que no conocíamos, analicemos sus perfiles actuales.

Si alguien nos mencionara sus nombres, ¿sabríamos quieres son? ¿Estaríamos dispuestos a recomendarlos a personas de confianza de nuestra red de contactos si nos lo pidieran? ¿Creemos que un contacto transmitido por nosotros a esas personas tendría alguna importancia?

> **Nota:** No entiendo qué valor tiene relacionarse con alguien que no nos conoce o que ni tan siquiera intenta hacerlo. Sin una conversación, ¿cómo puede haber confianza o entendimiento? ¿Por qué querría contratarnos alguien sin esa relación, y menos aún recomendarnos?

Quizás sea cosa mía pero no comprendo el tipo de planteamiento "cuanto más, mejor" en el networking. Cuanto más grande sea nuestra red, más difícil será gestionarla. Encontrar a las personas es mucho más complicado, parecido a buscar una aguja en un pajar. El trabajo de mantenerse en contacto con la gente y mantenerlo en persona es ingente, al mismo tiempo que ser capaz de concentrarse en la persona adecuada para mantener una relación se vuelve cada vez más difícil.

En el momento de la redacción de este libro, tengo una red de contactos en LinkedIn de unas 1000 personas. Soy el primero en admitir que es una cifra demasiado alta, el resultado de varios años aceptando indiscriminadamente invitaciones para conectar antes de desarrollar el mejor método.

Revisar mi red de contactos para encontrar a la persona adecuada me resulta difícil y lento; a pesar del buscador del sitio Web, no conozco a todo el mundo en mi red. Sería más feliz con la mitad de contactos en mi red.

Al mismo tiempo que construimos una red lo suficientemente amplia como para que nos proporcione una variedad de contactos, tenemos que asegurarnos de que cada relación que creemos sea lo suficientemente profunda como para marcar la diferencia. Como ya hemos mencionado, el networking se nutre de relaciones sólidas, junto con la confianza y el entendimiento como elementos clave para que la gente se sienta cómoda y pueda ofrecernos las referencias que necesitamos. Después de todo, ¿quién recomienda una oportunidad de negocio a una tarjeta de visita?

> **Nota:** Asegurarnos de que cada relación que creemos sea lo suficientemente profunda como para marcar la diferencia.

No podremos establecer relaciones profundas con todas las personas de nuestra red pero intentar ir más allá del simple apretón de manos es de vital importancia. He hablado sobre los seis grados de separación en detalle, auqnue también debemos conocer los grados que existen dentro de nuestra red de contactos (véase la figura 8.1).

En el centro de nuestra red están las personas en quién más confiamos y quienes más confían en nosotros. Ellos son nuestros valedores, las personas que queremos que nos recomienden de manera regular.

Círculo íntimo/valedores

Contactos a largo plazo/ buena relación

Familiares
Compañeros de networking

Nuevos contactos

Figura 8.1. Los grados de separación en nuestra red de contactos.

Cada grado que se aleja del centro son nuestros otros contactos. Quizás sean personas que no hemos visto durante algún tiempo o personas que tampoco conocemos, cuyos servicios no hemos experimentado o que apenas conocemos.

Muchas de las personas situadas en estas zonas alejadas del centro de nuestra red de contactos serán aquellas que estarán encantadas de recomendarnos y en disposición de hacerlo. Puede que sólo se deba a que no se lo recordamos constantemente o que no tienen la oportunidad de recomendarnos frecuentemente.

Resulta de vital importancia que mantengamos el contacto con las personas de nuestra red con la mayor frecuencia que sea posible y siempre que podamos, en persona. Las redes sociales en Internet han facilitado la tarea de permanecer en contacto con mucha más gente que nunca, pero el contacto personal no puede olvidarse.

Por lo tanto, si nuestra red de contactos crece demasiado, mantener el contacto se hace cada vez más difícil.

EL PODER DE LOS VÍNCULOS DÉBILES

En su artículo The Strength of Weak Ties[8], publicado en 1973, Mark Granovetter de la State University of New York, hablaba de la importancia de nuestros conocidos o amistades (vínculos débiles) para establecer relaciones clave para nosotros, en lugar de nuestros amigos íntimos (vínculos fuertes).

Según la teoría de Granovetter, cada uno de nosotros estamos vinculados en "grupos" de estructuras sociales a nuestros amigos íntimos. Por su propia naturaleza, las personas que están dentro de estos grupos muy cohesionados se conocerán todas entre sí.

Por extensión, la posibilidad de que nuestros amigos íntimos nos puedan presentar a alguien nuevo es muy limitada.

Nuestros conocidos, por el contrario, están unidos en sus propios grupos, con los que no estamos tan estrechamente relacionados. Por consiguiente, según Granovetter, nuestra relación con cada conocido "no es sólo una amistad trivial sino que más bien se trata de un puente decisivo entre los dos grupos densamente unidos de amigos íntimos".

Y continuaba diciendo, "de hecho, estos grupos no se relacionarían entre sí de ninguna manera si no fuera por la existencia de vínculos débiles".

Granovetter concluía que los individuos sin esos vínculos débiles estaban al margen de "partes alejadas del sistema social" y privados de información crucial de fuera de su propio círculo de amigos".

Para Granovetter, esto podría influir negativamente en un individuo, por ejemplo, en la falta de información sobre las nuevas oportunidades en el mercado de trabajo.

En nuestro caso, podría afectarnos en la falta de oportunidades de que nos presenten a nuestros clientes potenciales. O, dicho de otro modo, menos referencias.

---

[8] http://citeseerx.ist.psu.edu/viewdoc/download?doi=10.1.1.128.7760&rep=rep1&type=pdf.

Por lo tanto, es importante que construyamos una red de conocidos heterogénea. Cuanto más variados sean los sectores, procedencias culturales e intereses reflejados en nuestra red, más "puentes" estaremos construyendo con las redes de otras personas, dando lugar a más oportunidades para ser recomendado a las personas que necesitan nuestra ayuda.

Ahora es cuando los grupos de networking resultan tan importantes para establecer una red de personas sólida que nos puedan abrir las puertas adecuadas.

Nota: Es importante que construyamos una red de conocidos heterogénea.

DESARROLLAR NUESTRA RED DE CONTACTOS

Si observamos que necesitamos desarrollar nuestra red de contactos actual, existen muchos métodos para hacerlo. El procedimiento más obvio es a través de los grupos de networking, como por ejemplo las Cámaras de Comercio locales, asociaciones de pequeños comerciantes, encuentros sectoriales y grupos comunitarios comom por ejemplom la Fundación Rotaria o el Round Table.

Cuando acudimos a estos encuentros con el propósito de construir nuestra red de contactos, debemos recordar siempre ese objetivo. Como expuse en mi libro, ...and Death Came Third!, muchos de nosotros tenemos miedo de reunirnos con gente nueva que se introduce en nuestra zona de confort cuando realizamos el networking. A menudo, esa zona de confort implica pasarse todo el encuentro hablando con personas que ya conocemos. Se trata de un comportamiento perfectamente válido si pretendemos profundizar en las relaciones que ya tenemos, pero no cuando queremos conocer a gente nueva.

También podemos desarrollar nuestra red a través de contactos sociales. Participar en equipos deportivos, asociaciones de padres de alumnos o implicándonos en instituciones benéficas locales.

Participar en asociaciones nos proporcionará aun más determinación para conocer a gente nueva. Acudir con amigos a acontecimientos sociales para conocer a sus amistades.

Debemos recordar que podemos relacionarnos con las personas a diferentes niveles. A un nivel racional, es fácil establecer una relación con alguien con quien compartimos un interés o, mejor aún, una pasión.

Ya sea compartir la afición por el mismo deporte, seamos expertos en vinos, amantes del cine o nos guste viajar a los mismos países, si podemos encontrar algo en común con otra persona, nos resultará más fácil conectar.

> **Nota:** Debemos recordar que podemos relacionarnos con las personas a diferentes niveles.

Por otro lado, la gente se puede relacionar a un nivel más emocional. Este es un tema más difícil de definir, a menudo se denomina "química". Frecuentemente, relacionado con relaciones románticas, cuando sentimos ese vínculo especial con nuestra pareja también solemos asociarlo más directamente con las personas con las que nos sentimos cómodos y "a gusto".

Los dos supuestos nos deberían conducir a las mejores oportunidades para conectar con las personas correctas. Encontraremos a aquellas personas que compartan los mismos intereses y que tengan la misma visión de la vida que nosotros. No debemos limitarnos a una red de contactos con la misma procedencia sociocultural, como hemos mencionado anteriormente.

Cuando conocemos a alguien en encuentros de networking comercial o en reuniones, a veces puede resultar beneficioso, al principio, dejar a un lado la conversación de negocios y conocer mejor a la otra persona. Nos relajaremos en la compañía de las otras personas y hablaremos de temas que nos interesen. Es mucho más probable que podamos conectar a un nivel más profundo y llevará la relación a un nivel superior en el que es más posible que las dos partes se apoyen mutuamente.

> **Nota:** Cuando conocemos a alguien en encuentros de networking comercial o en reuniones, a veces puede resultar beneficioso, al principio, dejar a un lado la conversación de negocios y conocer mejor a la otra persona.

NETWORKING DE LARGA DURACIÓN

Mucha gente piensa que el networking que realizan en la actualidad es un proyecto a corto plazo. Se centran en los objetivos inmediatos, en sus negocios o sus carreras profesionales y seleccionan a las personas que pueden ayudarlos en ese momento. Sin embargo, el networking se basa en el largo plazo. Las redes de contactos más poderosas son aquellas que se han construido durante muchos años y han establecido una cantidad enorme de confianza y entendimiento.

Pertenezco a un grupo de networking denominado The Wild Card Pack. Esta red consta de algunos de mis mejores compañeros de profesión, además muchos de ellos también son mis amigos más íntimos. Realizamos el networking juntos, a menudo colaboramos entre nosotros, acudimos a las mismas reuniones, y muchas de las referencias a mis negocios proceden de este grupo.

Hace poco tiempo nos dimos cuenta de que la gran mayoría de nosotros teníamos la misma edad, con una diferencia de un par de años. El poder de esta realidad me impresionó inmediatamente. No existía ningún motivo por el que no debería estar relacionándome, trabajando y practicando el networking con el mismo grupo de personas durante los próximos 20 años o más.

Tenemos una enorme oportunidad para crear juntos nuestros negocios y apoyarnos mutuamente a medida que nos desarrollamos durante un largo periodo de tiempo. Debido a la naturaleza de nuestra red de contactos y de las relaciones íntimas entre los miembros, mientras no se rompa ese vínculo, el valor potencial de la red para cada uno de nuestros negocios es espectacular.

> **Nota:** El valor potencial de la red para cada uno de nuestros negocios es espectacular.

En el año 2009, tuve el privilegio de que me invitaran al décimo aniversario de los Precious Online Awards. Los premios celebran los éxitos de las mujeres de color en el mundo de la empresa y el liderazgo comercial.

Antes de la presentación del premio principal, Precious Entrepreneur of the Year, las ganadoras del año 2008, Natasha Faith y Semhal Zemikael, que dirigen una joyería que se llama La Diosa, le contaron al público cómo les había afectado la experiencia durante los doce meses anteriores.

Tanto Natasha y Semhal, como muchas de las mujeres presentes, eran jóvenes empresarias que se encontraban en la fase inicial de sus carreras. Natasha habló del apoyo que le habían ofrecido algunas mujeres presentes en la sala y en su red de contactos y de las amistades que había hecho desde que había recibido el premio.

Para Natasha, lo verdaderamente importante era que dicho apoyo y amistad también deberían mantenerse fuera del acto en sí. Le dijo al público: "Tenemos la oportunidad de crecer y establecer contactos durante toda la vida". Este pensamiento a largo plazo sobre el poder de las redes sigue siendo poco común. A medida que las redes van madurando, tenemos la posibilidad de no sólo realizar los contactos para ayudarnos en nuestros negocios en la actualidad, sino también para rodearnos nosotros mismos con las personas que pueden apoyarnos a lo largo de nuestras trayectorias profesionales.

La relaciones establecidas con personas con las que podemos crecer y compartir nuestros desafíos y nuestros logros, con las que tenemos la oportunidad de desarrollar un nivel de confianza tan elevado, pueden llegar a alcanzar un potencial de apoyo muto casi ilimitado. Si todavía no lo hemos hecho, analizaremos nuestra red e identificaremos a aquellas personas que sean de nuestra misma generación y compartan la misma visión de la vida que nosotros.

Nos tenemos que preguntar cómo nos afectaría el hecho de establecer contactos con esas personas no sólo durante un año sino durante muchos más.

RESUMEN

En este capítulo hemos analizado lo siguiente:

1. La teoría de los seis grados de separación.

2. Reconocer dónde están nuestros contactos principales y cómo desarrollar las relaciones.

3. Identificar el número y la composición perfecta para nuestra red de contactos personal.

4. Comprender los distintos niveles de nuestra red y la importancia de mantener las relaciones.

5. Métodos para desarrollar nuestra red de contactos y la importancia de pensar a largo plazo.

9. ¿De dónde procederán nuestras referencias?

¿QUIÉN ESTÁ EN NUESTRA RED DE CONTACTOS?

Si vamos a utilizar el poder de los seis grados de separación, debemos ver a nuestra red de contactos como un todo, y cómo las personas que se encuentran dentro de esa red conectan entre sí.

La mayoría de nosotros tendemos a encasillar a la gente dentro de nuestra red. La forma de ver a una persona depende de la relación que mantenemos con ella. Por ejemplo, es más probable que conozcamos mejor qué hacen para ganarse la vida o qué piensan sobre la familia o la sociedad los contactos de nuestra red empresarial que los contactos de nuestra red personal.

Interactuamos con las personas en grupos en función de cómo los conocemos. Por lo tanto, situados en el centro de nuestro grupo de contactos, tenemos a nuestra familia, amigos, grupos sociales, compañeros de trabajo, clientes, etcétera (véase la figura 9.1).

Nota: Interactuamos con las personas en grupos en función de cómo los conocemos.

Este tipo de división está bien hasta cierto punto, y seguramente es adecuada en la mayoría de las relaciones que mantengamos. Sin embargo, limita la eficacia de nuestro networking y nuestra capacidad para atraer a las personas con las que queremos establecer conexiones.

Tan pronto como clasificamos a la gente en nuestra red, comenzamos a descartar su importancia para el resto de nuestra red de contactos y su capacidad para ayudarnos en diferentes áreas.

Figura 9.1. Cómo clasificamos nuestra red de contactos.

El pasado año trabajé para una empresa manufacturera que tenía dificultadas para conseguir nuevos negocios. En mitad de la sesión, mientras analizábamos con más detalle las redes de contactos del equipo de ventas, el director ejecutivo se dio cuenta de que su esposa podía conocer a un cliente potencial perfecto, ¡ninguno de lo dos había visto la conexión!

En otra ocasión, mientras trabajaba con un equipo de banqueros comerciales, el subdirector regional salió de la habitación durante un descanso y, poco después, volvió a entrar para anunciar que acababa de llamar a su cuñado y que había solicitado su ayuda. Su cuñado le había proporcionado tres referencias. Nunca antes habían hablado de negocios.

Recibí una referencia para el director comercial de una importante aerolínea internacional por parte del mismo grupo de directores bancarios. Uno de los banqueros entrenaba a un equipo de futbol infantil y el hijo del director comercial jugaba en el equipo.

Nota: Clasificamos a las personas basándonos en las relaciones que compartimos, y no vemos los contactos que tienen con otras personas.

La razón por la que perdemos dichas oportunidades es que descartamos la relevancia de las personas más allá de nuestra relación inicial con ellas. Clasificamos a las personas basándonos en las relaciones que compartimos, y no vemos los contactos que tienen con otras personas.

Vamos a cualquier evento de networking e inmediatamente decidimos cómo nos pueden servir de ayuda los participantes basándonos en sus tarjetas identificativas o en sus tarjetas de presentación. Con quién trabajan, quiénes pueden ser sus clientes, al lado de quién viven o con quién juegan al golf, no forma parte de la ecuación.

Muchos de nosotros, cuando buscamos referencias, sólo consideramos a los candidatos evidentes, nuestros clientes y a los intermediarios profesionales. Sin embargo, hay mucha gente que podría estar en igual o incluso en mejor posición para recomendarnos.

Nota: Muchos de nosotros, cuando buscamos referencias, sólo consideramos a los candidatos evidentes.

Martine Davies, anterior responsable del programa de alumnos de BDO LLP, una firma de asesoría financiera y contabilidad, quien ahora ostenta un cargo similar en la Cranfield University School of Management, cree que muchas compañías ignoran una de las mayores fuentes de recomendaciones.

"Una de las más rentables e incalculables fuentes de referencias y nuevos negocios puede proceder de las personas que mejor conocen nuestra empresa, nuestros antiguos empleados, nuestros ex alumnos...

Cuando un empleado deja su trabajo, se lleva los años de aprendizaje, desarrollo y conocimiento que la empresa ha invertido en él. Esta idea se aplica a personas de todos los niveles, desde personal recién graduado a jubilados y asalariados. Si han tenido una buena experiencia o si siguen confiando y respetando a la empresa, actuarán como embajadores de la compañía y podrían convertirse en clientes o en personas que nos recomendarán en el futuro"[1].

Lo que olvidamos es que las personas que conocemos tienen su propia red de contactos exactamente igual que nosotros. Aunque podemos conocer a alguien en su faceta profesional, también tienen familia, amigos, sus propios clientes, compañeros y proveedores más allá de nuestra relación (véase figura 9.2).

¿Sabemos a qué se dedican las personas que forman parte de nuestra red social? Hagamos una lista con las personas más cercanas a nosotros y con todo lo que sabemos sobre sus empleos. ¿Cuál es su categoría profesional? ¿Qué hacen sus compañías? ¿Quiénes son sus clientes? ¿Cuáles son sus funciones? ¿Qué retos tienen?

---

[1] Profit from your alumni network, Professional Marketing Magazine, abril del año 2010.

Figura 9.2. Red de contactos de un cliente.

¿Qué sabemos de nuestros proveedores o clientes? ¿Con quién realizan negocios cuando no lo hacen con nosotros?

Mucha gente tiene dificultades para ir más allá de la categoría profesional de alguna de las personas más cercanas en su círculo personal.

Una vez que comencemos este ejercicio y lo desarrollemos, para comprender a quién conocen como consecuencia de a qué se dedican, puede ser muy eficaz, especialmente cuando lo relacionemos con nuestra referencia ideal, como analizamos en un capítulo anterior.

MANTENER SEPARADOS LOS NEGOCIOS DE LA VIDA PERSONAL

Es muy posible que no compartan alguna de las ideas que he expuesto en el apartado anterior.

A muchas personas no les gusta mezclar los negocios con el placer. Prefieren mantenerlos por separado, puede parecer que quieren incluir en sus negocios a personas que no están interesadas, o pueden tener miedo de perjudicar a sus amistades si una presentación o una venta se estropea.

Nota: A muchas personas no les gusta mezclar los negocios con el placer.

Son preocupaciones perfectamente válidas. Yo no soy partidario de incluir en nuestros negocios a personas que no sean receptivas, o manipular a nuestro círculo personal para conseguir ventas.

Uno de los problemas más tradicionales con algunas compañías de marketing en red es que animan a sus distribuidores a pensar primero en sus amigos y familia. Eso estaría bien si buscaran ayuda, pero muchos sólo ven a su círculo personal como sus primeros clientes.

Cuando tenía 17 años, uno de mis mejores amigos nos invitó a unos cuantos en verano a pasar un fin de semana en su casa. Esto era algo habitual porque su familia tenía piscina, por lo que íbamos con frecuencia. Sin embargo, en esta ocasión, nos invitó a un pequeño estudio situado en la parte delantera de la casa. Una habitación en la que nunca habíamos estado. En un extremo de la habitación había un rotafolio y una serie de sillas distribuidas en frente. Creo que nunca antes había visto un rotafolio y me preguntaba qué estaba pasando. Después de sentarnos, nuestro amigo, que antes estaba tranquilo y callado, inició una presentación sobre las bondades de una compañía de marketing en red.

Ver a nuestro amigo, un chico de 17 años, contándonos lo estupendo que era vender productos domésticos y dibujando pirámides en el rotafolio, hablando sobre "líneas descendentes" y sobre "la oportunidad", fue un poco desconcertante.

No hubo un aviso previo, ni invitación. La charla "cayó" sobre nosotros. Debo admitir que cambió mi opinión sobre mi amigo y que ya nunca le volví a ver con los mismos ojos.

Por lo tanto, existen peligros cuando mezclamos los negocios y nuestro círculo personal, pero sólo si lo hacemos torpemente, como en el ejemplo que acabamos de ver. Si tratamos con respeto a nuestra familia y amigos, evitamos forzarles a hacer negocios con nosotros y si estamos atentos a determinados signos de interés o desinterés, no se nos deberían cerrar puertas.

Debido al crecimiento de las redes sociales, al incremento de relaciones en las redes profesionales y a que se centran más en la creación de relaciones sólidas, la diferencia entre contactos personales y profesionales es mínima. He conocido a muchos de mis mejores amigos a través del networking y mi perfil en Facebook implica que muchos de mis amigos personales y mi familia ahora saben más sobre mi trabajo que nunca.

A pesar de que la diferencia es mínima, el truco consiste en reconocer dónde radica la diferencia.

Nota: La diferencia entre contactos personales y profesionales es mínima.

Aquellos que se sienten incómodos mezclando las relaciones profesionales y las personales se sienten mejor trazando una gran línea divisoria entre ambas. Comprendo el por qué, aunque siempre les pregunto cómo se sentirían si un miembro de su familia cercana fuera a la quiebra y perdiera su casa y ellos pudieran haberle prestado ayuda pero su familiar no la pidió porque no quería cruzar esa línea.

Nunca se sienten cómodos con esa idea.

La verdad es que existe una línea pero es más delgada y flexible de lo que mucha gente piensa. Si podemos ayudar a un amigo o un familiar profesionalmente, ¿por qué no lo haríamos? Y si son perfectos para un trabajo, ¿por qué debería impedirlo nuestra relación?

> **Nota:** Si podemos ayudar a un amigo o un familiar profesionalmente, ¿por qué no lo haríamos? Y si son perfectos para un trabajo, ¿por qué debería impedirlo nuestra relación?

El pasado año expuse esta idea en un seminario con un cliente y pregunté a los participantes quién tenía dificultades para mezclar su red profesional y personal. Una persona levantó la mano. Esa persona era la directora de formación y desarrollo, quien me había inscrito en el curso ¡por recomendación de su marido!

Ignorar a la familia y a los amigos como fuente de posibles referencias y no reconocer el potencial de los contactos personales de la gente de nuestra red puede implicar la pérdida de muchas oportunidades que marcarían una gran diferencia en nuestro negocio.

> **Nota:** Ignorar a la familia y a los amigos como fuente de posibles referencias y no reconocer el potencial de los contactos personales de la gente de nuestra red puede implicar la pérdida de muchas oportunidades.

Un estudio realizado por McKinsey[2] en el año 2010 analizaba el impacto del boca a boca en los mensajes de marketing cuando son transmitidos por un amigo, un miembro de la familia u otro contacto de confianza comparado con los mensajes transmitidos por desconocidos. Según el estudio, "una recomendación de gran impacto, realizada por un amigo de confianza que transmite un mensaje importante, es hasta 50 veces más probable que provoque una compra que una recomendación de menor impacto".

---

[2] https://www.mckinseyquarterly.com/A_new_way_to_measure_word-of-mouth_marketing_2567.

ENCONTRAR LOS CONTACTOS QUE NECESITAMOS

Una vez que tenemos una visión clara de nuestra red de contactos, nos resultará más fácil rastrear los contactos que necesitamos utilizando los seis grados de separación. Hay dos formas de hacerlo.

1. Desde el cliente potencial hasta la red de contactos

¿Tenemos una lista específica de clientes potenciales? Si es así, ¿cómo nos dirigimos a ellos actualmente? Es bastante probable que lo hagamos a través de una llamada en frío, o quizás invitándoles a eventos que puedan interesarles, o intentando que nos inviten a eventos a los que puede que ya asistan.

¿No sería más fácil si conociéramos a alguien que pudiera ponernos en contacto con ese cliente potencial? ¿Alguien que pudiera establecer la presentación que garantizara que nuestra llamada se transmite directamente a ellos y que escucharán lo que tengamos que decirles?

Para conseguirlo, tenemos que conseguir información sobre ese posible cliente y con quién es probable que trate. Si comenzamos trazando un esquema de sus clientes, socios y proveedores, es de esperar que empecemos a reconocer a gente que ya conozcamos que puedan influir en ellos.

Si se tratase de una persona a la que quisiéramos conocer y sabemos algo sobre sus intereses, entonces es aún mejor. Si viviera cerca de nosotros y fuera miembro de un club de golf, ¿a quién conocemos que sea miembro del mismo club?

Debemos conocer los círculos personales con los que se rodea y, como consecuencia, preguntarnos qué contactos podríamos tener en común. A menudo, una búsqueda en Google puede revelar mucha información sobre nuestros clientes potenciales.

Una vez que hemos desarrollado una visión global de nuestro posible cliente y a quién conoce, debemos pensar en nuestra red de contactos.

Es posible que no podamos trazar las conexiones hasta los seis grados de separación (si lo hacemos, sería muy difícil conseguir la presentación) pero preguntémonos a quién podemos conocer que esté a uno o dos grados del cliente, personas que puedan acercarnos a ellos.

LinkedIn simplifica este proceso. En LinkedIn podemos escribir el nombre de alguien como una búsqueda y el sitio Web nos permitirá conocer exactamente cómo estamos conectados.

Analizaremos con más detalle la importancia de LinkedIn en próximos capítulos.

2. Desde la red de contactos hasta el cliente potencial

El otro método, a menudo más fácil de cumplir, consiste en analizar nuestra red de contactos actual y comprender a quién conocen.

Como vimos en el apartado anterior, es muy importante intentar conocer mejor nuestra red de contactos. ¿Con quién se reúnen en el trabajo? ¿Cuál es su procedencia sociocultural? ¿Dónde solían trabajar? ¿Qué industria conocen mejor? A nivel personal, ¿cuáles son sus inquietudes? ¿A qué se dedican sus familiares más cercanos? Puede que estas preguntas sólo podamos hacérselas a nuestra red de contactos más cercana aunque, si procede, debemos tenerlas presentes.

Si comprendemos a quién tenemos que conocer, puede resultar bastante fácil encontrar contactos valiosos para nosotros. Una vez más, LinkedIn puede servirnos de ayuda. Podemos analizar sus redes de contactos y comprobar directamente a quién conocen.

VENDER A TRAVÉS DE, Y NO A NUESTRA RED DE CONTACTOS

Es muy importante destacar en esta etapa que el conocimiento de nuestra red no está diseñado para permitirnos vender a nuestros contactos.

El networking ha tenido tan mala fama en el pasado porque la gente veía a los contactos de su red como clientes potenciales y han actuado en consecuencia.

Nota: El conocimiento de nuestra red no está diseñado para permitirnos vender a nuestros contactos.

Si intentamos vender a las personas que pertenecen a nuestra red de contactos conseguiremos rápidamente una reputación desagradable, y los demás no estarán dispuestos a ayudarnos o apoyarnos, y mucho menos a hacer negocios con nosotros.

En lugar de vender a nuestra red, deberíamos centrarnos siempre en vender a través de ellos, encontrando a las personas que quieran hacer negocios con nosotros con la ayuda de nuestros contactos.

Tomemos como ejemplo los eventos de networking. A menos que sea un encuentro "meet the buyer" específico, muy pocas personas acuden a encuentros profesionales principalmente como compradores. De hecho, la mayoría lo que pretenden es vender.

Recapacitemos, seguramente ¡no puede existir un peor escenario de ventas que una habitación llena de gente que pretende vendernos algo! No están en "modo" comprar, ni receptivos a nuestro mensaje y, en pocas palabras, no están interesados.

No es de extrañar que muchos profesionales salgan de los eventos de networking quejándose de que ¡son una pérdida de tiempo!

En lugar de intentar vender cuando acudimos a encuentros profesionales, debemos probar un método diferente.

Hace poco, me encontré con una mujer en el tren cuando volvía a casa desde Londres. Estaba hojeando sus tarjetas de visita mientras el tren abandonaba la terminal, por lo que le pregunté si había establecido contactos esa tarde. Como cabía esperar, lo había hecho.

Era su primer año de trabajo después de la universidad y estaba trabajando para una firma de abogados. Sus jefes le habían dicho que asistiera a una serie de encuentros pero no le habían dado objetivos claros.

Le pregunté si tenía alguna clase de responsabilidad en el desarrollo comercial de la firma. No tenía responsabilidades. No tenía objetivos que cumplir, ni expectativas para atraer nuevos clientes.

Esta mujer se encontraba en una situación perfecta.

Sin presión para vender, puede relajarse cuando acude a encuentros de networking y disfrutar de la experiencia. En lugar de centrarse en contraproducentes argumentos de venta, puede hacer preguntas a otras personas y participar en conversaciones reales.

De este modo, construirá una red de contactos que querrá colaborar con ella, les gustará y estarán encantados de ayudarle en el futuro.

Cuando llegue el momento en el que se espere que encuentre nuevas oportunidades de negocio, estará en una posición sólida, con una red de personas a la que puede recurrir para conseguir presentaciones y apoyo.

No hay ningún motivo por el que nosotros no podamos ser tan afortunados.

Debemos soportar la presión de vendernos a nosotros mismos cuando establecemos nuevos contactos y participar en conversaciones sinceras. Debemos hablar sobre otras personas tanto como de nosotros mismos, o incluso más, y evitaremos vender nuestro producto o servicio.

Nota: Debemos soportar la presión de vendernos a nosotros mismos cuando establecemos nuevos contactos y participar en conversaciones sinceras.

Este es el mismo método que deberíamos realizar en todos nuestros encuentros de networking. La mayoría de las objeciones que tenemos respecto a hablar de negocios con la familia y amigos surgen del miedo de parecer que queremos venderles algo, productos o servicios, cuando no es aconsejable.

Si no estamos haciendo esto pero recurrimos a nuestra red personal en busca de ayuda y contactos, ¿por qué debería resentirse de la misma manera, especialmente si queda claro que nosotros estamos dispuestos a ayudarles de igual modo?

Las personas sólo se sienten incómodas cuando sienten que son el objetivo de una venta directa, como por ejemplo cuando mi amigo nos presentó su "oportunidad" de marketing en red cuando teníamos 17 años. La mayoría de nosotros estamos encantados de poder ayudar a nuestros amigos y familiares si podemos.

Si las personas de nuestra red quieren hacer negocios con nosotros, eso es diferente, pero siempre debería ser su decisión y no podemos forzarlos. Si evitamos vender, creamos el espacio para permitir que confíen en nosotros y en nuestro negocio. Una vez que confían en nosotros y que conocen nuestro negocio, podemos empezar a considerarlos como valedores potenciales.

¿Qué preferimos, cinco referencias que proceden de una persona de nuestra red de contactos o una venta?

RESUMEN

En este capítulo hemos analizado lo siguiente:

1. Pautas para optimizar los contactos de nuestra red, tanto profesionales como personales.

2. Cómo podemos buscar los contactos adecuados utilizando LinkedIn.

3. Cómo podemos disfrutar de los encuentros de networking sin tener que centrarnos en las ventas.

10. Las referencias dentro de una empresa

He tenido mi cuenta bancaria personal en uno de los principales bancos británicos durante los últimos 15 años. En la actualidad, mi cuenta bancaria de empresa también está en el mismo banco pero no siempre fue así. Nuestra compañía solía realizar las operaciones bancarias con uno de sus competidores. Nuestras oficinas estaban cerca de un pequeño pueblo con una calle principal en la que todos los bancos importantes tenían una sucursal. Pasaba por esa calle con bastante frecuencia y visitaba alguno de los dos bancos con los que teníamos relación. Conocía a los trabajadores de ambas sucursales. De vez en cuando, el director de mi banco se ponía en contacto conmigo para verificar mis datos. Una de las preguntas que siempre me hacía era para confirmar que mi cargo seguía siendo el de director administrativo. Nunca me preguntaron con quién realizaba las operaciones bancarias mi compañía.

Los empleados de la sucursal donde mi empresa tenía la cuenta sabían que acudía a ellos para ingresar cheques por los negocios o por otros temas relacionados. Nunca me preguntaron dónde tenía mi cuenta bancaria personal. El hecho es que, cada año, se pierden negocios valorados en cientos de millones de euros porque los empleados no buscan oportunidades para sus compañeros en otros departamentos de la misma compañía. Por ejemplo, si acudimos a un grupo de networking centrado en conseguir referencias y escuchamos la presentación que hace el abogado presente. En la mayoría de los grupos de este tipo, aíslan a cualquier otro representante legal, impidiéndoles que se unan debido a la política de exclusividad del grupo.

> **Nota:** El hecho es que, cada año, se pierden negocios valorados en cientos de millones de euros porque los empleados no buscan oportunidades para sus compañeros en otros departamentos de la misma compañía.

Si el miembro es un abogado laboralista, es muy poco probable que oigamos hablar sobre litigios, fusiones y adquisiciones o del derecho de familia. Semana tras semana, el abogado se concentrará únicamente en su área de especialidad.

No harán referencia a otros departamentos dentro de su bufete. Si, como ya hemos examinado, la confianza, el entendimiento y la oportunidad para recomendar son los principios básicos que posibilitan referencias de buena calidad, ¿qué mejor lugar para comenzar que dentro de nuestra propia empresa? Muchas empresas siguen ignorando la importancia de las referencias cruzadas; es más probable que sus empleados compitan entre ellos a que busquen oportunidades para sus compañeros.

Nota: Muchas empresas siguen ignorando la importancia de las referencias cruzadas.

Estoy hablando concretamente de las referencias cruzadas en lugar de la simple venta cruzada. Con frecuencia, a los empleados se les orienta para vender más de un producto a un cliente a costa de la relación con ese cliente. Sin embargo, identificar la necesidad de alguien y recomendarle a nuestro compañero, que puede ayudarle específicamente con esa necesidad, es diferente.

Nos convertimos en empleados centrados en el cliente en lugar de estar orientados por los objetivos, y la referencia es relevante en vez de forzada.

CONFIANZA Y ENTENDIMIENTO

Parte del problema radica en las relaciones entre los distintos departamentos de la misma compañía. Aunque puede estar de moda el fomento del espíritu de equipo y las reuniones, se dedica menos esfuerzo a estimular la interacción en las diferentes secciones de la misma empresa. Hablamos de confianza y entendimiento entre las personas de nuestra red de contactos, pero ¿cómo son de sólidas esas relaciones con la gente que trabaja en la misma oficina que nosotros?

Después de terminar la universidad, estuve cuatro años trabajando en administraciones públicas. La cultura de trabajo dentro de los amplios departamentos en los que trabajé era parecida a un compartimento estanco. Cada equipo de trabajo en un área delimitada. Cuando llegaba la hora de almorzar, mis compañeros dejaban su trabajo a un lado, abrían un envase con sándwiches y comían en la misma mesa en la que habían estado trabajando toda la mañana.

Habían pasado todo su tiempo no sólo en el mismo departamento sino también con la misma persona con la que habían trabajado todo el día.

Me opuse a ese sistema. Resulta divertido recordar mi comportamiento teniendo en cuenta lo que hago ahora para ganarme la vida. Mientras que todos mis compañeros permanecían en sus asientos durante el almuerzo, yo salía a dar una vuelta con amigos de otros departamentos. Aunque para mí resultaba algo normal ser una persona sociable, me consideraban bastante raro. ¡Resultaba irónico cómo conseguía más ayuda del resto de departamentos de la oficina cuando la necesitaba!

Los miércoles por la mañana, nuestras oficinas abrían al público treinta minutos más tarde de lo habitual debido a la "formación del personal". Tradicionalmente, estas sesiones analizaban a cada equipo en su propio compartimento estanco, cubriendo zonas de importancia para ellos. Después de hablar con mi director, comencé a visitar a otros equipos y a contarles lo que hacíamos en mi departamento, y les invitábamos a unirse a nuestras reuniones para hacer lo mismo.

Por mi propia experiencia, muy pocas empresas en la actualidad hacen esto. Se mantienen a los equipos separados entre sí, generalmente los empleados sólo se relacionan con los compañeros de sus propios departamentos. Incluso en las empresas más pequeñas donde los empleados de la compañía se sientan más cerca unos de otros y es más probable que se relacionen con los demás, no es habitual oírles hablar sobre sus trabajos y objetivos.

Nota: Las compañías que se centran en construir relaciones entre las diferentes secciones de la empresa y en formar a sus empleados en algo más que en su propio puesto de trabajo podrán aprovecharse de una gran cantidad de oportunidades.

Algunas compañías utilizan gráficos de ventas cruzadas. Los comerciales tienen cuadrículas que muestran los detalles de sus clientes y todos los servicios que ofrecen para poder asegurarse de que plantean cada oportunidad para vender a esos clientes. Después de todo, nos dicen con frecuencia que es seis veces más costoso atraer a un nuevo consumidor que vender más a uno que ya existe. Pero si no recompensamos al comercial cuando apoyan a otras secciones de la empresa y, por lo tanto, no se ha relacionado con otras personas en esos departamentos, las gráficas no serán más que una técnica secundaria.

Los eventos sociales dentro de la compañía proporcionan muchas oportunidades para relacionarse.

Hace poco, pedí a los participantes de un seminario que impartí, los cuales eran trabajadores de una compañía inmobiliaria, que enumeraran las redes a las que pertenecían. Muchos de ellos tenían el club social y deportivo de la compañía en la parte superior de sus listas.

Nota: Los eventos sociales dentro de la compañía proporcionan muchas oportunidades para relacionarse.

Los encuentros de networking internos, como por ejemplo las redes de contactos femeninas, también ofrecen la posibilidad de que los empleados se relacionen y aprendan unos de otros. Si tenemos la oportunidad, asistiremos a estos encuentros y nos aseguraremos de hablar con personas de otros departamentos de la empresa en lugar de hacerlo, únicamente, con los que ya conocemos. Intentaremos conocer sus puestos, sus desafíos y con quién se relacionan.

Y, lo que es más importante, descubriremos si podemos aprender de los demás, compartir experiencias y trabajar en los mismos proyectos, y si nos estamos centrando en clientes similares.

Las zonas comunes, como por ejemplo la cafetería de la empresa, también nos ofrecen la oportunidad de construir nuestra red de contactos interna. Si tenemos la costumbre de encontrar la mesa vacía y comer solos, o sentarnos siempre con nuestros compañeros, cambiaremos ese hábito y preguntaremos a otras personas si podemos unirnos a ellas. Tenemos que conocer a otros compañeros en nuestra propia empresa y averiguaremos cómo podemos ayudarles a conseguir sus objetivos.

EL PROBLEMA CON LOS OBJETIVOS

El siguiente paso que tenemos que dar para establecer relaciones en los "compartimentos estancos" dentro de la compañía es animar a todos los empleados a que busquen nuevas oportunidades de negocio, no sólo al equipo de ventas y no sólo a las personas que trabajan en un producto o servicio en concreto.

Nota: Animar a todos los empleados a que busquen nuevas oportunidades de negocio.

Mantener los objetivos y las recompensas en un único entorno de trabajo limita la probabilidad de que la gente busque referencias en otras secciones de la empresa. Si las compañías reconocen y premian el esfuerzo por generar contactos independientemente de quién realice la venta, empezarán a comprobar cómo se generan más negocios a través de las iniciativas de los empleados en todos los departamentos de la compañía.

En muchas empresas, el departamento de generación de nuevos negocios y la administración de cuentas están separados. La persona que trata con el cliente a diario y que ocupa la mejor posición para pedir referencias no tiene responsabilidad y no recibe gratificaciones por pedir esas referencias. Mientras tanto, la persona que tiene el objetivo y que se beneficiará no tiene ninguna influencia en ese cliente.

En pocas palabras, las ambiciones personales conducen a un comportamiento egoísta y limitan el flujo de referencias dentro de la empresa. Este problema se reafirma en épocas de turbulencias económicas, puesto que la gente se preocupa más por proteger su propio trabajo y cumplir sus propios objetivos, quizás a costa de los intereses generales de la compañía.

> **Nota:** Las ambiciones personales conducen a un comportamiento egoísta y limitan el flujo de referencias dentro de la empresa.

Las ambiciones personales y las recompensas también refuerzan un pensamiento "estrecho de miras", en el que los empleados sólo se preocupan por sus propias ventas y gratificaciones.

Las compañías tienen que romper con esta idea y motivar a sus empleados a recomendarse entre ellos. Las gratificaciones y las comisiones deberían establecerse para las presentaciones que se realicen a otros departamentos, una parte para cualquier persona implicada en el negocio, sea cual sea su puesto de trabajo. No sólo debería incluirse al equipo de ventas. Los asistentes personales, recepcionistas y el departamento de atención al cliente, todos tienen puestos en los que se relacionan con los clientes y proveedores de la empresa. Todos los que trabajan en esos departamentos tienen su propia red de contactos personal.

Siempre que trabajo en la estrategia de referencias con las empresas, intento animarles a que envíen a mis seminarios a empleados de todos los departamentos de la compañía, no sólo a las personas cuyo trabajo consiste en conseguir nuevos negocios. En una ocasión, un director financiero asistió a uno de mis seminarios. Nunca había transmitido una referencia al equipo de ventas antes de aquella sesión. En los siguientes dos meses transmitió siete.

Debemos tomarnos en serio las ventas y las referencias cruzadas y promoverlas en cualquier estrategia de referencias. Sin ellas, las compañías estarán desperdiciando el dinero.

RESUMEN

En este capítulo hemos analizado lo siguiente:

1. Desarrollar técnicas para generar más negocios mediante las referencias cruzadas.

2. Reconocer los espacios en los que nuestros compañeros y nosotros mismos podemos centrarnos para generar más referencias.

11. Cómo elegir las redes de contactos adecuadas

En un capítulo anterior, hablamos sobre el mito del networking, la teoría de que los grupos de networking por sí mismos no generan referencias. Sin embargo, las redes sociales oficiales pueden contribuir activamente en nuestra estrategia de referencias, en especial si necesitamos desarrollar nuestra red de contactos para ampliar nuestro alcance.

En este capítulo analizaremos detalladamente los grupos de networking y cómo elegir el más adecuado para nosotros. Se trata de una técnica comercial clave que tendremos que realizar correctamente si no queremos malgastar dinero y tiempo, o si no queremos relacionarnos de la manera equivocada.

Pensemos en los últimos encuentros de networking a los que hayamos asistido. ¿Por qué fuimos a ese evento en concreto? En algunos casos, habremos buscado e identificado el grupo adecuado para nosotros pero es más probable que respondiéramos a una invitación, realizada por alguien de nuestra red o directamente por parte de los organizadores.

Si nos invitaron a través de un grupo social, alguien puede habernos pedido que nos uniéramos. Dependiendo de la naturaleza de la red, este ofrecimiento puede haber sido un sólido argumento de ventas o una cortés invitación.

Muchos grupos que se reúnen con regularidad, en los que la atención se centra en establecer miembros, celebran "jornadas de puertas abiertas". El objetivo consiste en llenar la sala con personas y crear una atmósfera de excitación y actividad, que haga que la gente quiera asociarse. Desgraciadamente, esto provoca que la gente se una a grupos por motivos erróneos, porque les gusta esa excitación y creen que van a realizarse algunos negocios.

Sin establecer unos objetivos claros para sus propios miembros, con frecuencia permanecen en el grupo durante unos posos meses antes de abandonarlo decepcionados.

Ésta es la razón por la que algunos grupos de networking tienen mala fama, aunque la idea y el programa sean sólidos. Cuando las personas se asocian sin tener unos objetivos específicos o un entendimiento de lo que quieren conseguir por ser miembros, establecen un patrón de comportamiento que otros imitarán.

"Las malas costumbres se pegan" (asistiendo de forma esporádica, sin preparación, sin seguimiento) y la falta de interés se vuelve contagiosa. Muchos grupos se convierten en clubs sociales precisamente debido a esa falta de interés.

Nota: Las malas costumbres se pegan y la falta de interés se vuelve contagiosa.

CLASIFICACIÓN DE LOS GRUPOS DE NETWORKING

Para elegir el encuentro de networking adecuado para nosotros, tenemos que centrarnos en las "influencias primarias", nuestra empresa o nuestros objetivos personales. Aunque mucha gente clasifica las redes de contactos por el momento del día en el que se reúnen o por las características de sus miembros, yo prefiero comenzar por lo que pueden conseguir por nosotros.

En líneas generales, las redes de contactos comerciales pueden conseguir uno de los tres objetivos principales para cada miembro. Estos pueden ser:

► Generar notoriedad.

► Generar conocimientos.

► Generar referencias.

Nota: En líneas generales, las redes de contactos comerciales pueden conseguir uno de los tres objetivos principales para cada miembro.

Generar notoriedad

Para muchas personas, el objetivo principal del networking es hacerse más conocido, como empresa o personalmente. Esto es algo especialmente importante si hemos creado una empresa hace poco, nos hemos cambiado de sector o lanzado un nuevo producto.

Estoy seguro de que alguna vez ha oído la frase "no se trata de lo que sabes, sino de a quién conoces". Ahora tenemos que llevarlo a otro nivel. Si queremos construir nuestra imagen con eficacia, es más importante centrarnos en "quién nos conoce y qué dicen sobre nosotros".

Por lo tanto, es muy importante que sepamos dónde queremos generar notoriedad o visibilidad cuando buscamos las redes de contactos adecuadas para que nos ayuden a conseguirlo.

> **Nota:** Si queremos construir nuestra imagen con eficacia, es más importante centrarnos en " quién nos conoce y qué dicen sobre nosotros".

Si queremos que nos reconozcan en un sector o industria en concreto, deberíamos buscar redes de contactos en esas áreas.

Del mismo modo, si queremos ser más conocidos entre un grupo específico de personas de negocios, elegiremos la red en la que estén presentes.

Pertenezco a un club privado en Londres en el que muchos empresarios destacados suelen mantener reuniones. Acudo de forma regular al club y me encuentro con muchos de esos empresarios, de ese modo consigo que "recuerden mi cara".

Cuando establecemos relaciones para ser más conocidos, debemos tener una idea clara de por qué queremos que nos conozcan y de cómo transmitirlo a nuestra red de contactos. Es importante que los miembros de mi club sepan quién soy pero no tendrá mucho valor para mí si no comprenden a qué me dedico y a quién puedo ayudar.

> **Nota:** Debemos tener una idea clara de por qué queremos que nos conozcan.

Las redes sociales, para crear notoriedad, suelen reunirse con menos frecuencia que otras, mensualmente o incluso trimestralmente, pero participan muchos más miembros. Esto nos ofrece la posibilidad para conocer a gente nueva cada vez que asistamos, además de darnos la oportunidad de contactar con personas a las que hemos conocido en encuentros anteriores.

Para que sea eficaz, tendremos que comprometernos regularmente para que nos vean con frecuencia y la gente empiece a mostrar interés en nosotros. Nuestra notoriedad no aumentará por atender a un único encuentro; tienen que vernos una y otra vez.

Generar conocimientos

Muchos encuentros de networking nos ofrecen la posibilidad de escuchar a ponentes invitados, conocer a personas de nuestro sector o pedir apoyo a nuestros compañeros.

Estas son las redes de contactos en las que podemos centrar nuestro objetivo de desarrollo personal o, como yo lo llamo, "generar conocimientos".

Podemos utilizar nuestras redes para aprender cosas nuevas y para aportar a nuestra empresa ideas frescas y una visión diferente. Si sabemos qué queremos conseguir acudiendo a estos encuentros, podremos elegir a los grupos adecuados para que nos aporten esa nueva perspectiva.

Si el conocimiento de nuestra propia empresa y sector son la clave, acudiremos a las asociaciones empresariales y nos informaremos sobre la variedad de encuentros que organizan. Acudiremos a aquellas asociaciones que anuncien a ponentes invitados, determinaremos cómo podrían ayudarnos con las dificultades actuales de nuestra empresa y qué queremos sacar en claro de estas reuniones.

Muchos participantes abandonan los eventos con poca información porque asisten para que les entretengan en lugar de para aprender. Debemos establecer algunos objetivos específicos por asistir a las conferencias o seminarios y comprender qué queremos implementar después de las charlas.

Pertenezco a la Professional Speaking Association. Durante los últimos años, mi pertenencia a la asociación me ha dado la oportunidad de desarrollar mi oficio y mi empresa aprendiendo de las personas más influyentes en mi sector, tanto de Reino Unido como internacionalmente. También he desarrollado una red de compañeros a los que puedo acudir en busca de consejo en cualquier momento y mantengo una relación de tutoría con uno de los miembros.

Nota: Debemos establecer algunos objetivos específicos por asistir a las conferencias.

También pertenezco a un grupo de mastermind de compañeros de negocios que se reúne regularmente para compartir nuestros desafíos y proporcionar ideas, opiniones y apoyo. La pertenencia a uno de esos grupos me sirvió para darle un giro a mi negocio, cuando hace dos años estaba implicado en un proyecto sin éxito. Los miembros del grupo hicieron que me diera cuenta de que el proyecto nunca podría tener éxito porque no me estaba esforzando lo suficiente.

Generar referencias

Si pretendemos asistir a encuentros de networking o unirnos a grupos de networking como parte de nuestra estrategia de referencias, debemos pensar cómo nos pueden ayudar cada una de esas redes sociales. Tenemos que considerar los principios básicos para tener éxito con las referencias que ya hemos analizado:

▶ La importancia de la confianza.

▶ La creación de relaciones.

▶ Asegurarnos de que otras personas comprenden nuestro negocio.

▶ Asegurarnos de que nuestros contactos tienen la capacidad para recomendarnos.

▶ Asegurarnos de que tenemos posibilidades de recomendar.

Ahora, preguntémonos, ¿cómo pueden ayudarnos nuestras redes de contactos a cumplir alguno de esos principios?

Las organizaciones, como el grupo de networking mundial Business Network International (BNI) están diseñadas para cumplir alguno de esos principios a través del tamaño del grupo, la frecuencia de las reuniones y su formato. No invitan a ponentes, todo tiene que ver con la generación de confianza mutua y el conocimiento del negocio de los demás.

Si queremos establecer contactos para generar referencias, yo no recomendaría tomar medidas poco eficaces. Tenemos que entender el compromiso que vamos a asumir, analizar qué grupos se ajustan a ese nivel de compromiso y preguntarnos si podemos conseguir los resultados que buscamos si nos sumamos a dichos grupos.

Nota: Independientemente del camino que elijamos, tenemos que generar confianza y entendimiento con las personas que tienen la oportunidad de recomendarnos.

Es posible que nos incorporemos a un grupo que se reúne con menos frecuencia aunque, por otro lado, tengamos que reservar tiempo fuera de estos encuentros para reunirnos con los miembros regularmente. Independientemente del camino que elijamos, tenemos que generar confianza y entendimiento con las personas que tienen la oportunidad de recomendarnos.

EL NETWORKING EN INTERNET

El crecimiento de las redes sociales en los últimos años ha proporcionado más oportunidades, o desconcierto, al mundo del networking. Debido al envío de tantas invitaciones a distintas redes sociales cada día, muchas personas tienen dificultades para saber a qué redes tienen que unirse o participar.

No tiene que ser demasiado complicado. Mi consejo es utilizar el mismo método para las redes en línea que para las redes de contactos en persona que hemos analizado con anterioridad.

Saber qué queremos conseguir a través de nuestra pertenencia a esos grupos, analizar qué conseguirán los miembros, basándonos en las clasificaciones que mencionamos en el apartado anterior, y reconocer el compromiso que tendremos que asumir si nos incorporamos a esas redes.

> **Nota:** Utilizar el mismo método para las redes en línea que para las redes de contactos en persona.

Es perfectamente posible que cada red en línea pueda utilizarse para un objetivo o conjunto de objetivos distintos. Puede ser que la gente utilice la misma red por motivos diferentes que los demás pero si tenemos un objetivo claro y comprendemos cómo utilizar cada red con ese propósito, conseguiremos más beneficios por ser miembro.

Generar notoriedad

Tengo grupos en Facebook y LinkedIn para compartir mensajes, blogs y enlaces interesantes y, con algo de suerte, despertar el interés de más personas en mi trabajo.

Siempre que un miembro de ambos sitios Web hace un comentario sobre un mensaje, su red de contactos puede ver esa actividad y conocer algo más sobre mi trabajo.

Ecademy y Xing son otras dos redes sociales con muchos miembros pero de empresas más pequeñas.

Escribiendo en blogs y participando en foros de debate en esas redes puedo mejorar mi reputación entre esos miembros.

Publico con regularidad consejos sobre networking y blogs en Twitter.

Si las personas que siguen mis tweets los encuentran interesantes, pueden retuitearlos a sus seguidores y, de ese modo, aumentar mi notoriedad entre un nuevo grupo de personas.

Generar conocimientos

Podemos utilizar Twitter y LinkedIn para realizar estudios de mercado y para conseguir opiniones sobre nuevas ideas.

LinkedIn tiene una sección de preguntas y respuestas muy activa, además de grupos para casi cualquier interés comercial e información detallada sobre muchas empresas que tienen perfiles en el sitio Web.

En Twitter podemos hacer preguntas a las personas que nos siguen (a menudo, resulta más tentador preguntar algo en Twitter que buscarlo en Google) y seguir cualquier mensaje de interés buscándolo por palabras clave o por temas.

Además, muchos expertos, como Alan Stevens de MediaCoach, mantiene abierto un consultorio en Twitter en el que responden cualquier pregunta relacionada con su actividad profesional.

Generar referencias

En un capítulo posterior analizaremos la red social LinkedIn como herramienta para generar referencias. Aunque puede utilizarse para generar notoriedad y conocimientos, como acabamos de mencionar, en mi opinión, la principal capacidad de LinkedIn es como instrumento para establecer referencias.

Está construida en torno a las redes de contactos de los miembros y nos da la oportunidad de encontrar a los contactos que necesitamos y pedir a nuestra red que nos presente.

Asimismo, podemos crear nuestra red de referencias a través de los contactos que establecemos en línea.

Mientras que Ecademy es, para mí, eminentemente, una herramienta para generar notoriedad, los miembros del nivel BlackStar de Ecademy se han convertido en la fuente de valedores más productiva para mi empresa. De hecho, es un pequeño grupo dentro del BlackStar que con más regularidad me apoya. Además de recomendarme, me proporcionan una red de apoyo (la confianza y el entendimiento son igual de importantes en un grupo de apoyo de compañeros).

Nota: Podemos crear nuestra red de referencias a través de los contactos que establecemos en línea.

Aunque la red de contactos se reúne en una plataforma en línea, la mayoría de las relaciones que se establecen se realizan en persona. Aunque, en realidad, apenas utilizo Ecademy hoy porque he centrado mi actividad para generar notoriedad en otros sitios Web. Ecademy ofrece las herramientas y la oportunidad y, después, las relaciones que se establecen dependen de los individuos en el grupo.

Este uso tan específico de las redes sociales produce mejores resultados que los planteamientos en masa promovidos por muchas personas. Aunque tengo cuentas en muchas redes sociales, sólo utilizo unas pocas proactivamente, que me mantienen concentrado en los resultados que estoy buscando y me permiten gestionar mi tiempo de forma más eficaz.

Analizaremos individualmente cada red de contactos, nuestros objetivos por pertenecer a ellas y las actividades que tenemos que realizar.

Debido al auge de este tipo de medios sociales, se ha producido un aumento en el número de personas que establecen perfiles estándar a través de las redes sociales y toman sus "fuentes" de una (en especial Twitter) y, después, las publican automáticamente en todas las demás. Además, muchas personas se conectan exactamente con la misma gente en cada plataforma a la que pertenecen.

No puedo entender qué sentido tiene repetir la misma información a las mismas personas en diferentes sitios Web. Si nos unimos a más de una red social, deberíamos tener contactos diferentes, publicar contenido distinto, utilizarlas con un objetivo diferente o una combinación de todas estas acciones. Hacer cualquier otra cosa no es más que un uso ineficaz de nuestro tiempo y esfuerzo.

Lo que deberíamos intentar hacer es determinar el motivo principal por el que queremos establecer contactos y, a continuación, averiguar cuáles son las redes que mejor se adaptan a esos objetivos (véase la tabla 11.1). Si, después, podemos conseguir otros resultados por nuestra participación en esas redes, mucho mejor. Pero, primero, tenemos que conseguir nuestro objetivo primario.

Tabla 11.1. Establecer objetivos para nuestras redes sociales.

NOMBRE DE LA RED SOCIAL	OBJETIVO PRIMARIO	OBJETIVO SECUNDARIO

OBTENER RESULTADOS DE NUESTRA PERTENENCIA A LOS GRUPOS DE NETWORKING

Una vez que hemos decidido a qué grupos de networking queremos asistir para generar referencias para nuestros negocios, tenemos que ser más específicos a la hora de determinar nuestras expectativas de éxito. Es importante establecer objetivos concretos a la hora de valorar cómo funcionan los grupos de networking como herramienta para generar referencias, y dichos objetivos serán importantes para predecir y cuantificar el nivel de eficacia de nuestra estrategia.

Si queremos que los miembros de nuestro grupo nos recomienden a las empresas, primero tenemos que saber qué queremos obtener antes de empezar. Debemos tener claro qué tipo de beneficio queremos lograr. Si no lo hacemos bien, nos resultará más difícil conseguirlo y no lo reconoceremos cuando aparezca.

> **Nota:** Debemos tener claro que tipo de beneficio queremos lograr.

Una vez me contaron la historia de un miembro que abandonó sus grupos de networking, alegaba que no conseguía generar suficientes negocios nuevos. De hecho, denominaba su año como socio "una pérdida de tiempo". El miembro en cuestión era un director comercial local de un importante banco. En los doce meses anteriores con su grupo local, había convertido las referencias recibidas del networking en seis clientes nuevos.

Durante estos años he pedido a varios directores bancarios, desde compañeros de ese mismo banco hasta directivos de esa ciudad y otros lugares, que me ayuden a entenderlo. Les he preguntado cuántas referencias convertidas en un cliente habrían necesitado para justificar su pertenencia a un grupo. Sin excepción, me respondieron que les habría parecido suficiente conseguir tres nuevas cuentas de negocios.

El director bancario del que estamos hablando había doblado lo que para la mayoría del sector era un rendimiento de la inversión razonable. Pero el director había abandonado, calificando al grupo como "una pérdida de tiempo". En mi opinión, sólo cabe una explicación para esto; no sabía qué quería conseguir, no había establecido ningún objetivo.

En lugar de celebrar cada referencia convertida en un cliente como un paso más hacia sus objetivos, abandonó el grupo la semana que no había recibido una referencia porque se sentía frustrado. Conocer qué rendimiento de la inversión estamos buscando garantiza que sigamos el rumbo marcado, que cambiemos nuestro planteamiento si no está funcionando y que celebremos los logros cuando lleguen.

UN RENDIMIENTO DE LA INVERSIÓN RAZONABLE

Cuando determinamos objetivos para el rendimiento de nuestro networking, nos aseguraremos de que los establecemos en el nivel correcto. Ya hay demasiadas personas uniéndose a los grupos de networking sin determinar ningún tipo de objetivo o sólo con la intención de devengarse su cuota de socio. Si nos sumamos a un grupo intencionalmente para generar referencias, debería reflejarse en nuestra perspectiva de éxito.

Para determinar el rendimiento de nuestro networking, debemos tener en cuenta los siguientes aspectos:

- ▶ El coste por la pertenencia a los grupos de networking.

- ▶ El coste de las reuniones.

- ▶ El valor de nuestro tiempo.

- ▶ Tiempo en desplazamientos y gastos.

- ▶ El coste de oportunidad, ¿qué actividades alternativas podíamos realizar durante el tiempo que dedicamos al networking y qué rendimiento esperaríamos que produjeran?

- ▶ Tiempo y coste de mantener reuniones con los miembros fuera de los encuentros y de las actividades complementarias.

Deberíamos poder constatar inmediatamente que una recompensa razonable por nuestra pertenencia a un grupo de networking es considerablemente mejor que la devolución de nuestro dinero.

Debemos tener esta idea presente, porque impulsará nuestra actividad dentro del grupo. Si reconocemos que hemos establecido un objetivo superior para nuestro rendimiento, comenzaremos a pedir los negocios correctos.

> **Nota:** Una recompensa razonable por nuestra pertenencia a un grupo de networking es considerablemente mejor que la devolución de nuestro dinero.

Demasiadas personas acuden a los encuentros de networking e intentan conseguir beneficios fáciles y rápidos, intentando vender a los asistentes y soltando su argumento de ventas a un nivel que consideran que es el adecuado. Como consecuencia, desaprovechan una gran cantidad de oportunidades potencialmente disponibles para ellos.

Trabajé con un grupo en Oxford y pregunté a los miembros quién había establecido un objetivo económico por su pertenencia al grupo. Uno de los miembros era formadora empresarial y pensaba conseguir un rendimiento de 30.000 euros al año por su pertenencia al grupo. Esa cantidad parecía un rendimiento razonable para una formadora empresarial de un grupo de networking.

Le pregunté por el coste de una venta mínima para ella, y no era más que unos pocos euros, creo que también vendía algunos libros y CD. Después le pregunté por el valor de su referencia ideal.

Me respondió: "200.000 euros".

Le pregunté: "¿A qué se parecería una referencia de 200.000 euros?".

Me contestó: " Un consejo de administración en el que formo a cada miembro del consejo una vez al mes durante un año".

¿Sería un objetivo poco razonable, para una buena formadora empresarial, respetada y de confianza, conseguir un contrato de esa naturaleza de su grupo de networking compuesto por 30 miembros?

Se trata de una referencia "convertida" de unas 50 reuniones con otras 29 personas. Una referencia de 1.450 oportunidades. No habría sido una expectativa tan grande si ella hubiera planeado pedir exactamente esa recomendación. Pero no lo hizo. Porque sólo había establecido un rendimiento de 30.000 euros: la "referencia ideal" que acabamos de mencionar no estaba en su pensamiento. No la estaba pidiendo; los miembros del grupo no sabían cómo buscar la oportunidad.

> **Nota:** Debemos ignorar los beneficios fáciles de conseguir y empezar a pedir las referencias que nos aseguren el mejor rendimiento de la inversión posible. Tendremos presente la teoría de los seis grados de separación y nos aprovecharemos de los contactos de los otros miembros del grupo en lugar de intentar venderles directamente a ellos.

Si tenemos dificultades para identificar nuestro rendimiento ideal del networking, estudiaremos las previsiones que hemos establecido para nuestra empresa este año. ¿Cuántos ingresos pretendemos conseguir? ¿Cuántos bienes o servicios proceden de las actividades de networking, y cuántos conseguiremos fuera de los grupos de networking? El balance debería guiar nuestra respuesta.

LA COMBINACIÓN DE REFERENCIAS

Una vez que hemos determinado el rendimiento del networking, la tentación será dividirlo en objetivos mensuales o trimestrales. Pero el networking no funciona de este modo. No todas las referencias son iguales, como estamos a punto de analizar, por lo que los beneficios no se ajustarán perfectamente a las divisiones basadas en el calendario. Además, el número o la calidad de las referencias que generamos deberían crecer cuanto más desarrollemos las relaciones con los miembros de los grupos, por lo que los beneficios del último mes deberían ser considerablemente superiores a los conseguidos el primero.

> **Nota:** No todas las referencias son iguales, por lo que los beneficios no se ajustarán perfectamente a las divisiones basadas en el calendario.

Debemos tener un método diferente para establecer los objetivos. Y éste debería reflejar la diversidad de negocios que estamos buscando.

En realidad, la formadora empresarial que mencionamos con anterioridad, como cualquier miembro de un grupo de networking, no pedirá cada semana la misma referencia ideal. Muchos de nosotros buscaremos una variedad de clientes que comprarán productos y servicios distintos con un nivel de precios diferentes. Esto es positivo para nuestros negocios. Nuestra red de referencias debería reflejar esto.

Además, los miembros "desconectarán" enseguida si pedimos las mismas referencias en cada reunión. Cuando combinamos o mezclamos nuestras peticiones, también conseguimos que se comprometan y desarrollen su conocimiento de nuestra empresa en cada reunión.

> **Nota:** Los miembros "desconectarán" enseguida si pedimos las mismas referencias en cada reunión.

Pregunté a la formadora empresarial por el nivel mínimo del negocio que buscaba y por su referencia ideal. Existe una gran variedad de oportunidades intermedias y el rendimiento de nuestro networking con frecuencia lo reflejará.

Crearemos nuestra combinación de referencias, la variedad de negocios que determinamos para conseguir nuestros objetivos económicos. Por ejemplo, un diseñador de páginas Web puede buscar 120.000 euros de rendimiento por sus actividades de networking en un año. En lugar de centrarse en 10.000 euros al mes, crea una combinación de referencias, compuesta por referencias de primera necesidad, que mantienen a la empresa funcionando, referencias intermedias que son un poco más satisfactorias y la referencia ideal, o superior, que rara vez aparece pero que eleva el nivel de la empresa (véase la figura 11.1).

En el caso de nuestro diseñador de páginas Web, que puede desarrollar una combinación de sitios Web básicos (referencias de primera necesidad), sitios Web de comercio electrónico más complicados (referencias intermedias) y la referencia ideal, diseñar una red social con una gran variedad de funcionalidades. En este momento, el diseñador de páginas Web puede analizar cuántos productos de cada clase necesitaría para cumplir con sus objetivos. Su combinación podría parecerse al esquema que muestra la figura 11.2.

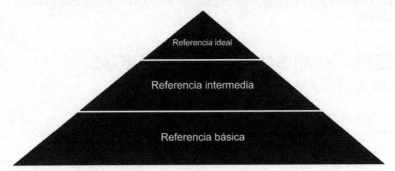

Figura 11.1. La combinación de referencias (a).

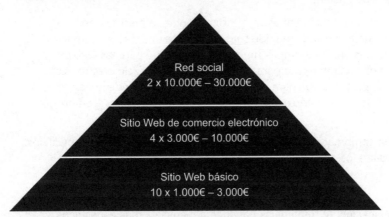

Figura 11.2. La combinación de referencias (b).

Una vez que hemos establecido nuestra combinación de referencias, resulta más fácil descubrir lo que está funcionando bien y adaptar lo que estamos pidiendo. Si recibimos demasiadas referencias de primera necesidad, cambiaremos lo que estamos pidiendo. Si no conseguimos las suficientes referencias de nivel intermedio, cambiaremos la forma de pedirlas. ¿No conseguimos "cerrar" una referencia ideal? ¿La estamos pidiendo con la suficiente intensidad?

Del mismo modo que evaluamos el flujo de referencias, también podemos cambiar nuestra combinación, comprendiendo que las referencias ideales son más fáciles de conseguir de lo que pensamos, o que podemos hacer frente a más referencias de nivel intermedio.

No obstante, debemos conocer nuestra tasa de conversión. El diagrama que muestra la figura 11.2 refleja las referencias "convertidas". Si tenemos que recibir tres referencias para asegurar una parte del negocio, tenemos que reflejarlo en nuestra combinación de referencias. También debemos tener en cuenta que las tasas de conversión suelen ser mucho mejores para los negocios básicos que para las referencias ideales.

CÓMO NUESTRA COMBINACIÓN DE REFERENCIAS REFUERZA NUESTRO MENSAJE

Muchas personas que asisten con regularidad a los grupos de networking centrados en conseguir referencias tienen dificultades con lo que tienen que decir durante sus presentaciones cada semana. Como ya hemos analizado, en muchos grupos resulta evidente la falta de preparación y reflexión en el mensaje de los participantes y terminan diciendo lo mismo semana tras semana, consiguiendo poca o ninguna repercusión.

Una vez que hemos establecido nuestra combinación de referencias, ese problema está resuelto. En cada reunión sólo pediremos una de las referencias de nuestra combinación. Por ejemplo, nuestro diseñador de páginas Web puede buscar una semana una referencia para un sitio Web de comercio electrónico. Pueden utilizar su presentación para describir a alguien que puede necesitar un sitio Web, quizás un pequeño establecimiento, y pedir contactos a empresas similares.

De este modo, la combinación de referencias conduce a mensajes más específicos. Y son esos mensajes los que facilitarán que las personas en el grupo nos recomienden.

> **Nota:** La combinación de referencias conduce a mensajes más específicos.

Hace unos pocos años, conocí a Tony Westwood. Tony es un profesor de golf que ha desarrollado un método de entrenamiento muy diferente. Mientras que la mayoría de los entrenadores profesionales se centran en la postura, el grip y el swing de los golfistas, Tony, que practica la programación neurolingüística, consigue que sus alumnos se centren en la bola, dónde quieren llegar y dónde tienen que golpearla para conseguir el mejor resultado.

Cuando conocí a Tony, pertenecía a un grupo de networking centrado en conseguir referencias, cerca de mi casa. Tony recibía referencias principalmente por las clases de golf individuales y alguna que otra vez de algún grupo durante las jornadas de golf de empresa. Pero eso no era lo que estaba buscando en realidad. Tony estaba buscando desarrollar un cierto número de presentaciones por su exclusivo método de entrenamiento y también quería trabajar estrechamente con grupos más pequeños durante las jornadas de empresa. El problema era que no estaba pidiendo esas referencias.

Resultó que el método de entrenamiento de Tony no difería realmente del método que debería haber utilizado con su grupo de networking: "pensar en el grupo como la bola y el green como el lugar al que queremos que vaya la bola".

Como Tony enseñaba en el golf, si golpeamos a la bola en el lado derecho, viajará a la izquierda; si golpeamos a la bola en el lado izquierdo, viajará a la derecha; y si la golpeamos en el medio...¡Has captado la idea!

Donde "golpeemos" a nuestro grupo de networking determinará qué puede hacer por nosotros. Si pedimos algo, eso será lo que conseguiremos. Si pedimos algo diferente, entonces eso será lo que conseguiremos.

Nota: Donde "golpeemos" a nuestro grupo de networking determinará qué puede hacer por nosotros.

Por lo tanto, cuando realizamos el networking, es muy importante que visualicemos dónde queremos que nos lleve nuestro grupo. Apuntaremos al green, no sólo a cien metros por debajo de la calle, y después determinaremos cómo tendremos que golpear la bola para que llegue allí. Pensaremos cómo nos ayudarán nuestras presentaciones y peticiones a conseguir nuestros objetivos.

Después de nuestra reunión, Tony cambió su método, para que estuviera en consonancia con sus técnicas para enseñar golf. En la actualidad, es el entrenador principal del Clube Nacional de Golfe en Portugal.

Tony me dijo recientemente: "Supongo que podrías decir que mi método funcionaba aunque no habría encontrado mi actual puesto aquí en Portugal si no hubiera orientado mejor mi networking. Vuestra ayuda me permitió analizar lo que estaba haciendo y dónde me gustaría estar trabajando y criando a mis hijos".

Nota: Nuestra combinación de referencias refuerza nuestros resultados. Nos guía hacia nuestro objetivo recordándonos qué estamos buscando y después ayudándonos a decidir la mejor petición que tenemos que realizar para conseguir las referencias que estamos seleccionando.

Nuestra combinación de referencias refuerza nuestros resultados. En lugar de sólo "golpear la bola" (aparecer y ofrecer una presentación sin preparación), nos guía hacia nuestro objetivo recordándonos qué estamos buscando y después ayudándonos a decidir la mejor petición que tenemos que realizar para conseguir las referencias que estamos seleccionando.

TENEMOS QUE COMPROMETERNOS

No importa qué hagamos, si decidimos unirnos a un grupo de networking para generar referencias, le daremos tiempo para que funcione y participaremos en él con mucho entusiasmo.

Tenemos que comprometernos si queremos tener éxito. Ya hemos hablado en profundidad de la importancia de crear confianza y entendimiento con nuestros valedores potenciales. Estos grupos están diseñados para hacer justamente eso, si bien tenemos que estar presentes para hacer que suceda.

Además, ¿quién nos recomendaría a sus contactos clave si demostramos una falta total de compromiso en la forma de relacionamos con ellos y con el grupo? Ésta es nuestra prueba o audición; las personas nos juzgarán por la profesionalidad y la credibilidad que mostremos como miembro del grupo.

Hay una serie acciones sencillas que podemos realizar dentro de una red de contactos para conseguir referencias que reforzarán nuestra reputación y nuestra imagen positiva entre los socios del grupo. Por ejemplo, podemos ser los primeros en llegar a las reuniones y los últimos en abandonarlas; preparar con antelación y seguir la trayectoria de las referencias que hemos prometido y recibido.

Además de demostrar que somos la persona adecuada para que se relacionen con nosotros; es importante que prestemos atención a lo siguiente.

Aunque muchos miembros llegan justo en el momento que comienza una reunión y la abandonan en cuanto han finalizado los asuntos más formales, las conversaciones más profundas suelen producirse una vez que la reunión ha terminado, cuando el ambiente está más relajado y no hay tantas prisas. He comprobado que en ese momento se cierran más negocios entre el grupito de personas que se quedan para hablar después de las reuniones.

Como he mencionado con anterioridad, también es importante mantener constantes reuniones en grupos pequeños o en persona con los socios del grupo. Tenemos que desarrollar un entendimiento profundo de nuestro negocio entre nuestro grupo si esperamos recibir referencias de calidad, y no podemos desarrollar ese entendimiento realizando únicamente presentaciones de 60 segundos cada semana.

LOS QUE DAN, RECIBIRÁN

Una idea que también escucharemos con frecuencia es el concepto de Givers Gain°, acuñado por el fundador de BNI, Ivan Misner. En pocas palabras, Givers Gain es otra forma de definir el refrán "quien bien siembra, bien coge" o "los que dan, recibirán".

Como suelo destacar a mis grupos, si todos pretendemos sólo recibir referencias, ¿de dónde van a venir? Si todos queremos distribuirlas, alguien tendrá que ser el receptor de las referencias. Por el bien de todos los miembros, tendremos que asegurarnos de que las referencias se transmiten para que todos los participantes del grupo se beneficien.

Misner dice que esta ley "se basa en la teoría del capital social de la ley de reciprocidad. No es una ley transaccional, se trata de una ley transformacional. Yo te ayudo y tú me ayudas y los dos nos hacemos mejores".

¿CUÁNDO DEBERÍAMOS ABANDONAR UN GRUPO DE NETWORKING?

Debido a la gran cantidad grupos de networking disponibles, puede resultar tentador asistir a muchos grupos en lugar de comprometernos con uno, o abandonar un grupo después de un tiempo para "cambiar de ambiente".

Debemos recordar que las relaciones requieren tiempo para desarrollarse, por lo que debemos tener cuidado de no cancelar nuestra participación en un grupo al sentirnos frustrados precisamente cuando la gente está a punto de sentirse preparada para recomendarnos. Si aceptamos el otro consejo que hemos visto en este libro sobre el desarrollo de relaciones con nuestros valedores, deberíamos poder decidir la importancia que podría tener el grupo para nosotros en el futuro.

Nota: Las relaciones requieren tiempo para desarrollarse, por lo que debemos tener cuidado de no cancelar nuestra participación en un grupo al sentirnos frustrados.

Asimismo, a algunos grupos les cuesta empezar a funcionar y muchos tienen un ciclo de vida variable, necesitan incorporar personas nuevas de manera regular para eliminar la pasividad y evitar que se conviertan en clubs sociales. Si los miembros asisten a las reuniones sólo cuando les apetece y se comportan con desgana, tenemos que observar si existe un núcleo de miembros que quiera cambiar la filosofía del grupo. Si no están dispuestos a cambiar, es el momento de abandonar.

Algunas personas dejan los grupos porque piensan que su compañía ha superado el nivel del grupo, necesitan un cambio o porque ya han conseguido las relaciones y seguirán pidiendo las referencias a los miembros sin tener que aparecer en persona. Antes de hacerlo, nos aseguraremos de estar tomando la decisión correcta.

Si estamos recibiendo un flujo regular de referencias, no debemos dar por hecho que continuará si abandonamos el grupo. Podemos mantener relaciones sólidas con los miembros porque los vemos con regularidad en las reuniones.

Nota: Si estamos recibiendo un flujo regular de referencias, no debemos dar por hecho que continuará si abandonamos el grupo.

Si no nos ven con frecuencia, se olvidarán de nosotros, en especial si aparece un competidor y ocupa nuestro lugar.

Nota: Si no nos ven con frecuencia, se olvidarán de nosotros.

Si necesitamos un cambio y nuestras empresas necesitan empleados, o tenemos socios, podemos pedirles que nos sustituyan en lugar de dejar que otra persona pueda ocupar nuestro lugar en el grupo. Después, podemos seguir apareciendo de vez en cuando, manteniendo activas las relaciones que hemos desarrollado personalmente y conservando el beneficio del compromiso a largo plazo con el grupo.

Sin lugar a dudas, aconsejaría a cualquiera que esté pensando en abandonar, porque han "superado el nivel" del grupo, que se lo pensaran dos veces y, por supuesto, que no hagan público ese hecho.

Una persona de mi red de contactos hizo precisamente eso, le dijo a todo el mundo que ahora su empresa era demasiado grande como para relacionarse con los miembros del grupo del que había formado parte durante cinco años. No hace falta decir que consiguió destrozar sus relaciones y su reputación en un instante debido a su arrogancia.

Dave Clarke, director ejecutivo de la red empresarial NRG de Reino Unido, me explicó por qué la gente abandona un grupo.

"Muchas personas dejan los grupos porque en realidad nunca determinaron por qué deberían estar en ellos desde un principio. Después están las personas que se inscriben durante un año y abandonan porque piensan que no funciona. La gran desgracia es que casi siempre lo dejan cuando la inversión está a punto de dar beneficios. Consiguen ser conocidos, apreciados, valorados y dignos de confianza. En lugar de fortalecer las relaciones que han establecido, abandonan el grupo y comienzan todo el proceso de nuevo con otras personas. Casi todas las semanas participo en encuentros y siempre hay alguien que me pregunta ¿dónde están X o Y?, porque tienen algo para ellos. Si les digo que han dejado el grupo, casi siempre pedirán una recomendación a otra persona, aunque me ofrezca a trasmitir su mensaje".

La mayoría de los grupos no nos convendrán para siempre y llegará un momento en el que tendremos que dejarlos. Lo importante es que lo hagamos de una forma positiva y por los motivos correctos, sin cerrarnos las puertas. Sería una desgracia si perdiéramos meses o años de creación de relaciones y desecháramos innecesariamente el capital social que hemos construido.

RESUMEN

En este capítulo hemos analizado lo siguiente:

1. Identificar las diferentes clases de grupos de networking y sus beneficios.

2. Por qué fracasan algunas personas en el networking y los peligros de las ideas preconcebidas.

3. Conocer los principales objetivos de nuestro networking e identificar las redes de contactos en persona y en línea que mejor cumplen con esos objetivos.

4. Establecer distintos objetivos para nuestro networking y utilizar nuestro tiempo y esfuerzo de la manera más eficaz.

5. Reconocer el éxito y conseguir el mejor rendimiento de la inversión posible.

6. Utilizar una combinación de referencias específica para maximizar su eficacia.

7. Aprender a comprometernos, dar para recibir y cuándo abandonar un grupo de networking.

Parte IV
Cómo conseguir que nuestra red de contactos nos recomiende

12. Motivar a nuestros contactos para que nos recomienden

Es posible que estemos rodeados de personas que estarían encantadas de recomendarnos, de personas que tienen la oportunidad de hacerlo y de personas que tienen los conocimientos necesarios como para recomendarnos. Sin embargo, parece que sigue faltando algo.

Si no fuera así, las empresas estarían repletas de referencias y no haría falta leer este libro. ¿Cómo puede pasar nuestra red de contactos de una situación en la que estarían encantados y podrían recomendarnos pero no lo hacen, a una situación en la que nos recomiendan de manera regular?

Me arriesgaría a decir que el principal obstáculo para conseguir referencias regularmente en este momento es que las personas implicadas, nosotros incluidos, son reactivas y pasivas con respecto a la generación de oportunidades en lugar de ser proactivos.

Un valedor nos recomendará si otra persona de su red de contactos le pide que le recomiende a un proveedor de servicios y nosotros reunimos las condiciones.

Si nadie pide o pregunta, no ocurrirá nada; no están pensando en oportunidades o buscándolas activamente.

Nota: Si nadie pide o pregunta, no ocurrirá nada.

Del mismo modo, aceptaremos con agradecimiento las referencias que nos ofrezcan, puede que tomemos algunas pequeñas medidas proactivamente y les pidamos referencias utilizando alguna de las técnicas que hemos destacado previamente en este libro, pero el planteamiento es general en lugar de centrarse en los valedores individuales.

Tenemos que cambiar ese enfoque. Una estrategia de referencias eficaz debe tratar a cada contacto en nuestra red como un individuo único y tiene que intentar facilitar todo lo posible que cada uno de dichos individuos nos recomiende. En primer lugar, tenemos que averiguar qué les motivará a recomendarnos.

> **Nota:** Una estrategia de referencias eficaz debe tratar a cada contacto en nuestra red como un individuo único y tiene que intentar facilitar todo lo posible que cada uno de esos individuos nos recomiende.

¿A QUIÉN RECOMENDAMOS?

Los directivos de muchas compañías confían en los incentivos económicos y en las gratificaciones para motivar a la gente para que los recomienden. Analizaremos este tema más adelante en este capítulo, pero antes de conocer la eficacia de este método para los demás, vamos a analizar cómo de eficaz es para nosotros.

Vamos a coger un folio y a escribir los nombres de cinco personas o empresas que hayamos recomendado recientemente (véase la tabla 12.1). En especial, pensemos en las referencias más valiosas que hemos transmitido y también en las personas que hemos recomendado con más frecuencia.

Tabla 12.1. Empresas o personas a las que ya hemos recomendado.

EMPRESA/PERSONA QUE HEMOS RECOMENDADO	NÚMERO/VALOR DE LAS REFERENCIAS TRANSMITIDAS	CONFIANZA, CONOCIMIENTO, OPORTUNIDAD	¿QUÉ NOS MOTIVA A RECOMENDAR?

- ► ¿Por qué transmitimos las referencias?
- ► ¿Qué nos motivó a hacerlo?
- ► ¿Nos pidieron las referencias o se las ofrecimos voluntariamente?

▶ Fue una "referencia pasiva", o dicho de otro modo, ¿respondimos a la petición por una recomendación? O ¿fue una "referencia proactiva" en la que detectamos una oportunidad y establecimos la conexión?

Al lado de cada nombre escribiremos la puntuación de 0 a 10, cuánto confiamos en esa persona o empresa, hasta qué punto sabemos a qué se dedican y la oportunidad que tenemos para recomendarlos. Anotaremos los factores clave que nos han motivado a recomendarlos.

Repasaremos nuestra lista e intentaremos comprobar si hay algunos factores comunes que nos impulsaron a recomendar. ¿Estamos recomendando sólo a las personas con las que tenemos sólidos niveles de confianza? ¿Nos afecta el hecho de conocer bien sus negocios o si estamos hablando con las personas adecuadas con regularidad? ¿Nos motivan las gratificaciones económicas o algún otro incentivo en concreto?

Ahora repasaremos la lista de personas que hemos recomendado. ¿Conocemos a alguien más que pudiera haber realizado un trabajo con la misma eficacia? Si es así, ¿existe algún factor en especial que nos impulse a recomendarles a expensas de otra persona?

Además de comprender qué nos impulsó a recomendar, ¿la persona a la que recomendamos nos facilitó el proceso? ¿Qué había establecido que nos facilitó el proceso de recomendación?

En este momento, vamos a crear dos listas más. En una anotaremos los nombres de tres personas o bien empresas que nos encantaría recomendar pero no lo hacemos (véase la tabla 12.2) y, en la otra, anotaremos los nombres de otras tres personas o empresas que simplemente no estamos dispuestos a recomendar (véase la tabla 12.3).

Tabla 12.2. Empresas o personas que nos gustaría recomendar.

EMPRESA/PERSONA QUE NOS GUSTARÍA RECOMENDAR	CONFIANZA, CONOCIMIENTO, OPORTUNIDAD	¿QUÉ TIENE QUE OCURRIR PARA QUE LES RECOMENDEMOS?

En el caso de aquellos que nos gustaría recomendar, ¿qué nos lo está impidiendo? ¿Nos caen bien personalmente pero no conocemos suficientemente bien su negocio como para realizar la referencia? Quizás no sabemos quiénes son sus clientes o cómo realizar la presentación. Si fuéramos a dar los pasos necesarios para recomendarlos, ¿qué tiene que suceder? ¿Qué pueden hacer para facilitarnos el proceso de recomendación? Si emprendemos la tarea de realizar al menos una referencia eficaz para ellos, ¿qué tendríamos que hacer?

Tabla 12.3. Empresas o personas que no recomendaríamos.

EMPRESA/PERSONA QUE NO RECOMENDARÍAMOS	CONFIANZA, CONOCIMIENTO, OPORTUNIDAD	¿QUÉ TIENE QUE OCURRIR PARA QUE LES RECOMENDEMOS?

Ahora, repasemos la lista de personas o empresas que no estamos dispuestos a recomendar. ¿Por qué no? ¿Se trata simplemente de una cuestión de falta de confianza o de química personal? ¿Nuestra experiencia con sus productos y servicios ha sido negativa? Si esa persona o empresa dependiera de nuestras referencias para conservar sus negocios, ¿qué medidas deberían tomar para que cambiemos de opinión? ¿Cómo creemos que van a darle la vuelta a la situación para que nos convirtamos en sus valedores? No se permita engañar diciéndose ¡no podrían! Tienen que "hacernos" sus valedores para conservar sus negocios, ¿qué podrían hacer para que sucediera eso?

Si uniéramos nuestras listas, deberíamos tener un registro de cómo la gente puede motivarnos para recomendarles. Alguno de esos enfoques pueden ser muy "transaccionales", como por ejemplo comisiones por las referencias recibidas, o que nos ofrezcan sus referencias por haber recomendado sus empresas como agradecimiento. Otros planteamientos pueden ser más "relacionales", simplemente porque nos caen bien y queremos que tengan éxito.

Éstos son los métodos que nos darán resultado y que nos pueden dar una idea de las distintas técnicas que podemos seguir para motivar a otras personas. Sin embargo, no todo el mundo es igual. Si las personas se sienten más estimuladas por las motivaciones transaccionales o relacionales, dependerá sobre todo de su tipo de personalidad. A continuación, estudiaremos cada tipo de motivación.

MOTIVACIÓN TRANSACCIONAL

En un capítulo anterior, analizamos la popularidad de los planes de incentivos, como por ejemplo los impulsados por el Sunday Times Wine Club y los gimnasios para animar a sus miembros a presentar a nuevos clientes.

Además de las desventajas que examinamos con anterioridad, cuando el impacto negativo de que nos relacionen con un producto o servicio de baja calidad pesa más que el aliciente de recibir una gratificación, según mi experiencia, la mayoría de los planes de incentivos suelen tener un impacto mínimo, en especial cuando la gente centra su atención en otras cuestiones y olvidan el incentivo.

Sinclair Beecham, cofundador de Pret à Manger, compartió sus experiencias en un encuentro al que asistí el año pasado. Admitía preguntas del público durante su presentación, y uno de sus "clientes fieles" le preguntó por qué, a diferencia de muchos de sus competidores, no tenía un plan de fidelización.

Sinclair le respondió: "Odio los planes de fidelización. ¿Por qué no nos dedicamos a trabajar duro y a ofrecer un mejor servicio a nuestros clientes?".

La persona que hizo la pregunta creía firmemente que necesitaba un plan de fidelización y no estaba interesada en un mejor servicio. Sinclair le hizo la misma pregunta al público, la mayoría de ellos admitieron que eran clientes de Pret à Manger. La respuesta pilló por sorpresa a todos los asistentes, cuando una gran mayoría contestaron que no querían un plan de fidelización. El público quería algo mucho más personal y menos predecible.

Los comentarios de Sinclair también se pueden aplicar tanto a los planes de incentivos de referencias como a los programas de fidelización de clientes.

Aunque la empresa Pret à Manger pretende vender más a los mismos clientes en lugar de conseguir recomendaciones o referencias, tiene muy claro que un servicio excepcional es mucho más eficaz que los planes de incentivos. Basándose en la reacción del público, parece que la mayoría de sus clientes estaban de acuerdo con eso.

> **Nota:** Un servicio excepcional es mucho más eficaz que los planes de incentivos.

Esto no quiere decir que los planes de incentivos no desempeñen una función, aunque los consideraría un método bastante pasivo, con el inconveniente añadido de que estamos intentando motivar a distintos tipos de personalidad para que nos recomienden al mismo tiempo que seguimos un simple método general.

Aunque cada vez son menos populares en muchos sectores, los incentivos económicos, honorarios para los intermediarios (una gratificación para un contacto por presentar a un nuevo cliente) o las comisiones desempeñan una función muy importante impulsando referencias. De hecho, algunas agencias comerciales se han convertido en intermediarios profesionales cuyos ingresos proceden exclusivamente o en su mayoría de las comisiones que consiguen por cada presentación.

Lo que resulta interesante es que muchas de las empresas con las que he trabajado han decidido prohibir las comisiones para los intermediarios a pesar de ser una práctica habitual en su industria. Este cambio les obliga a ser más creativos a la hora de motivar a la gente para que les recomienden a pesar de ser incapaces de competir en precio.

Para tener éxito en estas circunstancias, tienen que centrarse en adaptar su método para motivar a cada valedor individualmente en lugar de limitarse a pedir referencias directamente.

Otra versión del programa de presentaciones son los planes de afiliados, que siguen siendo populares, en especial cuando se están recomendando productos.

Daniel Priestley dispone de 1.300 afiliados que promueven su empresa, Triumphant Events. Dan cree que "un programa de afiliados nos permite rastrear el origen de una venta y después pagar una comisión a la persona que impulsó esa venta. De hecho, tan sólo pagamos por el marketing que nos proporciona resultados.

Los programas de afiliados son un sueño hecho realidad para los vendedores y los profesionales del marketing. En lugar de pagar por la distribución, pagamos un coste aceptable por cada venta después de realizar dicha venta. Esto libera a nuestros afiliados para que nos promuevan de la manera que sea más eficaz, escriben sobre nosotros en blogs, escriben mensajes sobre nosotros en Twitter, envían correos electrónicos a sus contactos, actualizan sus grupos y utilizan los medios sociales. Si se hace correctamente, nuestro sistema de afiliados permite a la gente comunicarse de la forma más eficaz para conseguirnos ventas.

Para desarrollar un gran sistema de afiliados tenemos que hacerlo digno de confianza (la gente tiene que confiar en que se les pagará a tiempo), transparente (pueden ver sus resultados en tiempo real), atractivo (pueden registrarse y encontrar herramientas y recursos que le facilitarán su trabajo) y beneficioso (consiguen una buena comisión/prima si hacen el trabajo)."

Naturalmente, no me opondría al uso de métodos transaccionales para promover referencias. Históricamente han sido muy eficaces y tienen su importancia. De hecho, algunos de nuestros valedores potenciales pueden tener una personalidad muy "transaccional" y tan sólo se sentirán motivados por la promesa de una gratificación.

Nota: Algunos de nuestros valedores potenciales pueden tener una personalidad muy "transaccional".

A comienzos de este año, me incorporé a un pequeño grupo de networking compuesto por personas del mismo sector. Nos comprometimos a mantener reuniones con regularidad para apoyarnos mutuamente y, cuando fuera posible, promocionarnos entre nosotros.

Se planteó la cuestión de si deberíamos tener un acuerdo formal como grupo para pagar una comisión por cualquier referencia transmitida. Personalmente, me conformaba transmitiendo cualquier referencia sin pensar en gratificaciones. Si alguien quisiera una comisión por una presentación para mí, no me parecería mal.

Otros miembros del grupo pensaban lo contrario, que si ellos recomendaban a algunas empresas, deberían ser recompensados por hacerlo. La idea de ganar ingresos pasivos era atractiva.

Ningún planteamiento es bueno o malo. Depende de lo que funcione para cada persona y de lo que acuerden el contacto y el valedor entre ellos. Al final, acordamos no establecer ninguna norma para el grupo y dejamos que las partes acordaran el método entre ellas de manera individual.

Si utilizamos enfoques más transaccionales, seguramente nos permitirá desarrollar un método para pedir referencias y para buscar los contactos que hayamos prometido, más comercial y práctico.

Siempre y cuando garanticemos que ofrecemos una recompensa justa por cada negocio conseguido, puede proporcionar un beneficio para ambas partes y, si las recompensas transaccionales animan a alguien, es muy fácil volver a motivarle para que nos recomiende de nuevo.

Si organizamos un programa de afiliados para recompensar a nuestros intermediarios, podemos establecer sistemas sencillos para automatizar el seguimiento de las referencias recibidas y el pago de comisiones, como ha demostrado Triumphant Events.

Una advertencia: mal gestionados, los métodos transaccionales para impulsar referencias pueden poner en peligro las relaciones. Debemos asegurarnos de que somos transparentes en todas nuestras relaciones comerciales, tanto con nuestro intermediario como con nuestro cliente.

Nota: Mal gestionados, los métodos transaccionales para impulsar referencias pueden poner en peligro las relaciones.

Debemos dejar muy claro al intermediario qué incentivo está disponible y cuándo se pagará. Si sólo vamos a abonar la comisión cuando el pago esté autorizado y puede que sea fraccionado, se lo haremos saber por adelantado.

El regalo adecuado

A pesar de su naturaleza, las motivaciones transaccionales pueden realizarse en persona. Resulta preocupante comprobar cuántas botellas de vino y whisky se envían a personas abstemias, o a personas que prefieren ¡una bebida diferente! Debemos averiguar qué motiva a cada persona y adaptar nuestro incentivo a sus gustos, no a nuestra conveniencia.

Y, lo que es más importante, sólo recurriremos a la motivación transaccional cuando sea adecuado.

Me ofrecieron un incentivo económico por recomendar a un contacto íntimo hace un par de años. Rechacé la oferta varias veces y le recomendé porque estaba encantado de hacerlo.

> **Nota:** Debemos averiguar qué motiva a cada persona y adaptar nuestro incentivo a sus gustos, no a nuestra conveniencia.

Finalmente, después de pedirme insistentemente que aceptara un "cheque de agradecimiento" por lo que me comentó, fue una referencia muy valiosa y, en contra de mis principios, cedí. Después de todo, creo, la referencia ya se había transmitido y podría estar rechazando una cantidad considerable.

Cuando recibí un cheque por una cantidad muy pequeña, me sentí insultado. Por la misma cantidad podría haberme dado las gracias enviándome una botella de Jack Daniels, demostrando que sabía cuál es mi bebida preferida o invitándome a un acontecimiento deportivo. De hecho, por una cantidad más pequeña, podría haberme enviado una tarjeta de agradecimiento y habría tenido un impacto más positivo.

En lugar de motivarme a recomendar más, apenas he mantenido contacto con él desde entonces y es muy improbable que vuelva a recomendarle otra vez. Ese contacto tiene un enfoque transaccional, el mío es más relacional.

Su error a la hora de reconocer la diferencia, a pesar de varias señales evidentes por mi parte, ha influido en la probabilidad de recibir mis referencias de nuevo. Ante todo, yo estaba encantado de poder recomendarle sin ningún tipo de incentivo económico. Pagarme para que lo hiciera no tenía ningún valor comercial, ya que era más fácil motivarme de otras formas.

MOTIVACIÓN RELACIONAL

Hay ciertas ocasiones en las que un método transaccional para conseguir referencias es la mejor estrategia. Puede deberse a las circunstancias o a las personas implicadas. Sin embargo, creo que si hemos desarrollado una red sólida de contactos de confianza, los métodos relacionales serán mucho más eficaces.

La clave es la fortaleza de la red de contactos. Si nos rodeamos por personas que nos quieren ayudar, la recompensa suele ser lo último en lo que pensarán. En realidad, muchas personas hacen los mismos comentarios cuando ofrecen referencias que cuando las reciben. Por lo tanto, lo primero que tenemos que hacer, si queremos motivar a la gente para que nos recomienden sin gratificaciones, es centrarnos en la relación que mantenemos con ellos. Esto no nos debería coger por sorpresa después de todo lo que ya hemos analizado en este libro.

Nota: Muchas personas hacen los mismos comentarios cuando ofrecen referencias que cuando las reciben.

Cuando hablemos con nuestros contactos, en un principio, no tendremos en cuenta nuestras propias necesidades (e incluso a nosotros mismos). Intentaremos averiguar las necesidades de la otra persona. Tenemos que descubrir quién se beneficiará de la reunión y de la información o recursos que necesitan conseguir. Nuestras presentaciones tienen que ser importantes para ellos.

Nota: Intentaremos averiguar las necesidades de la otra persona. Tenemos que descubrir quién se beneficiará de la reunión y la información o recursos que necesitan conseguir. Nuestras presentaciones tienen que ser importantes para ellos.

LA FÓRMULA DEL 51/51

Hace unos pocos años, mantuve una reunión con una socia y amiga, Servane Mouazan. Servane defiende una teoría sobre el networking que denomina "la fórmula del 51/51". Servane describe esta fórmula como una forma de medir y valorar nuestros contactos y los estándares de nuestro networking.

Las relaciones que se ajustan a la fórmula de Servane deberían producir beneficios para las dos partes.

El principio no es ninguna novedad aunque la fórmula es una manera muy precisa de expresar la importancia del viejo dicho "hacer un último esfuerzo". Si las dos partes en una relación dan un paso más allá de lo que se espera de ellos, la consecuencia será una relación más sólida y mayores niveles de confianza y entendimiento.

Servane asegura que podemos tomar unas sencillas medidas para superar el "simple 50/50". Como dice: "¡Este es el momento en el que se revelan los secretos!".

La fórmula del 51/51 tiene que ver con ir más allá de lo que se espera y en las áreas de actividad en las que destacamos sobre los demás y conectamos a unos niveles mucho más profundos.

Si hay personas en nuestra red de contactos que tienen la oportunidad de recomendarnos y nosotros queremos desarrollar su confianza y su voluntad para hacerlo, nos tomaremos el tiempo necesario para conocerlos. A los miembros de los grupos de networking suelen animarles a mantener reuniones en persona fuera de los encuentros.

Cuando nuestro objetivo en una reunión cara a cara es crear la relación, dejaremos a un lado las agendas e intentaremos conocer mejor a la otra persona. Debemos averiguar qué les motiva y qué les importa en lugar de interesarnos por sus negocios y sólo sus negocios.

Nota: Dejaremos a un lado las agendas e intentaremos conocer mejor a la otra persona.

Dale Carnegie, en su libro titulado, How to Win Friends and Influence People, anima a sus lectores a "interesarse sinceramente por los demás"[1].

Si podemos averiguar los deseos de las personas y mostrar un interés sincero, conseguiremos establecer relaciones sólidas mucho más deprisa.

Hace tiempo participé en un curso de formación donde nos dividieron en grupos para realizar una serie de ejercicios en los que desempeñábamos varias funciones. Los ejercicios se diseñaron para que reconociéramos alguna de las situaciones en las que los invitados de sus encuentros pueden sentirse incómodos y molestos.

Me pidieron que hiciera de invitado y que me acercara a uno de los grupos. Lo que yo no sabía era que habían rogado al grupo que me ignorara y rechazara, incluso físicamente si era necesario.

---

[1]   Dale Carnegie (2009), How to Win Friends and Influence People. Simon and Schuster.

Me dirigí al grupo e inmediatamente me encontré con gran cantidad de espaldas y codazos (por favor, ¡no intentéis determinar cómo puede ser físicamente posible y fiaros de mi palabra!). Impávido, intenté entablar una conversación pero me encontré con miradas vacías.

Sabía que uno de los miembros del grupo, que estaba a mi lado, le gustaban mucho los caballos porque me lo había comentado unas pocas horas antes. Mi novia, por aquel entonces, también era muy aficionada a los caballos. Me dirigí a esa persona y comencé a hablar.

Le dije: "Por cierto, me gustaría hablar contigo sobre tus caballos. Mi novia tiene uno y le encanta montar".

Bajó la guardia inmediatamente, relajó su expresión y se le iluminaron los ojos. Durante una décima de segundo olvidó el ejercicio y el papel que jugaba, y se dispuso a entablar una conversación conmigo. Después, recordó lo que se supone que tendría que estar haciendo y comenzó a reír.

Cuando conocemos a una nueva persona, inevitablemente tendremos la guardia alta, en cierta medida, hasta que nos familiaricemos. Cuando nos interesamos por las aficiones, inquietudes o pasiones de alguien, comprobaremos que bajan la guardia muy deprisa y podremos empezar la importante tarea de crear una relación. Si la persona con la qué hablé en el curso estaba en disposición de recomendarme, habría estado mucho más dispuesta a hacerlo después de que le hubiera mostrado mi interés por su afición y por mantener una conversación sobre ella.

> **Nota:** Cuando conocemos a una nueva persona, inevitablemente tendremos la guardia alta, en cierta medida, hasta que nos familiaricemos mutuamente. Cuando nos interesamos por las aficiones, inquietudes o pasiones de alguien, comprobaremos que bajan la guardia muy deprisa y podremos empezar la importante tarea de crear una relación.

Podemos tomar unas medidas muy sencillas para demostrar nuestro interés en otra persona y mantener el contacto:

- ▶ Si sabemos qué están intentando conseguir, les invitaremos a los encuentros de networking a los que estamos asistiendo.

- ▶ Enviaremos correos electrónicos de forma regular, en especial si descubrimos algo que pueda ser importante paras sus intereses.

- ▶ Examinaremos el estado de sus actualizaciones en las redes sociales.

- ▶ Hasta podríamos ser radicales y recurrir al uso de las viejas tecnologías, ¡utilizando el teléfono si no hemos hablado durante algún tiempo!

UNA TARDE DE DIVERSIÓN

Mucha gente utiliza el "entretenimiento corporativo" para mantener el contacto con sus valedores. No obstante, en Reino Unido debemos conocer el nuevo decreto, Bribery Act 2010, que sanciona los regalos o beneficios de empresa "cuando se comprueba que la persona que ofrece la dádiva pretende influir en el destinatario o inducir a que actúe de forma incorrecta"[2].

Mientras nos aseguremos de que actuamos dentro de los límites de la ley, los eventos que organizan las empresas nos producirán muchas oportunidades para invitar a las personas que podrían recomendarnos a, por ejemplo, galas benéficas, acontecimientos deportivos, etcétera.

Por desgracia, muchas empresas desperdician este valioso recurso. Es importante comprender cómo podemos utilizar el entretenimiento corporativo para impulsar referencias. Tenemos que agasajar a las personas adecuadas, centrándonos en quién podría estar dispuesto a recomendarnos y asegurarnos de invitarles a algo que les interesará de verdad en lugar de invitarles a acontecimientos a los que queremos asistir nosotros.

Nota: Es importante comprender cómo podemos utilizar el entretenimiento corporativo para impulsar referencias.

Para que el entretenimiento corporativo sea eficaz como estrategia para motivar a la gente para que nos recomienden, debemos tener claro que no esperamos recibir automáticamente algo a cambio. Recordemos, estamos invitándoles y desarrollando una relación. Ponerle precio o una contrapartida al regalo quita valor al gesto.

Por esa razón, nunca plantearía el tema de las referencias al mismo tiempo que el acontecimiento.

En un foro de networking celebrado el año pasado, Aron Stevenson, de la empresa Leasing Options, afincada en Reino Unido, pidió consejo sobre cómo tenía que relacionarse con un cliente importante al que estaba intentado invitar a un acontecimiento deportivo. Aron no estaba seguro de cuándo sería el momento adecuado para hablar de negocios, o si en realidad existía un momento adecuado.

Mi consejo, junto con el de otros muchos, fue que se centrara en dejar que sus invitados disfrutaran del acontecimiento sin sacar el tema de los negocios en general, o las referencias en particular, allí mismo.

---

[2] http://www.iod.com/home/business-information-and-advice/being-a-director/hot-topics/default.aspx.

Un tiempo después, Aron me dijo: "Hablamos de deportes, de nuestros hijos y de la vida en general. Fue agradable relajarse y disfrutar del partido sin expectativas.

Mi cliente se divirtió muchísimo y estaba muy agradecido por la invitación. Desde aquel partido hemos realizado más negocios y me ha presentado a amigos y compañeros de trabajo. La lección que he aprendido de esa experiencia es que las referencias fluyen de manera natural cuando hemos generado confianza y demostrado que podemos prestar servicios de calidad.

La confianza debe construirse y desarrollarse primero antes de pasar al tema de las referencias y de estudiar otros proyectos."

CONSEGUIR QUE MEREZCA LA PENA

Aunque normalmente implica una compensación económica, podemos conseguir que el acto de recomendarnos merezca la pena para la gente con otros métodos. Nos aseguraremos de que, cada vez que alguien nos recomiende, se convierta en una experiencia positiva para ellos. En realidad, es muy fácil; si están contentos con el resultado de una referencia que han transmitido, estarán más motivados para reproducir esa sensación.

Trataremos a las referencias que recibamos con la máxima eficacia. Haremos su seguimiento rápida y profesionalmente; si conseguimos el trabajo, trataremos al cliente como si fuera la persona más importante y valiosa. Si no podemos ayudarle, le recomendaremos a alguien si es posible (comprobaremos si nuestro valedor está dispuesto a hacerlo por nosotros) y nos aseguraremos de informar al cliente de por qué no podemos realizar el servicio.

Si no conseguimos el trabajo, lo aceptaremos con elegancia y agradeceremos la oportunidad que nos han dado, al valedor y al cliente potencial. El simple hecho de informar de por qué la pista de venta no fructificó ayudará a nuestro valedor a comprender qué puede ser, o no, una referencia adecuada para nosotros y, de ese modo, podrá entender mejor qué buscamos.

Nota: Nos aseguraremos de que cada vez que alguien nos recomiende, se convierta en una experiencia positiva para ellos. En realidad, es muy fácil; si están contentos con el resultado de una referencia que han transmitido, estarán más motivados para reproducir esa sensación.

También podemos conseguir valiosas opiniones de nuestros clientes potenciales a través de la persona que nos recomendó, opiniones que, de otra forma, el cliente no compartiría directamente con nosotros.

NO PASAR POR ALTO LO EVIDENTE

Finalizaremos con dos de las técnicas más sencillas que podemos practicar para motivar a la gente y que nos recomienden, además, son métodos que solemos ignorar.

La primera consiste en recomendarles a ellos primero. No esperaremos a que nos recomienden los demás. Averiguaremos qué clase de presentaciones necesitan y, si es posible, nos pondremos en contacto con ellos. Es importante que no esperemos referencias a cambio. Como escribió a principios del siglo XX la poetisa Elizabeth Bibesco: "dichosos los que pueden dar sin recordar y recibir sin olvidar".

> **Nota:** No esperaremos a que nos recomienden los demás.

En muchos casos, no necesitaremos esperar referencias como contrapartida. Cuando reciben un regalo (como una buena referencia), la gente se sentirá obligada a reaccionar sin que exijamos la respuesta. En un capítulo anterior, hablamos sobre la teoría de Givers Gain, propuesta por Ivan Misner, y este concepto se basa en la misma creencia de que la mayoría de las personas quieren devolver un favor.

La otra técnica obvia consiste en pedir la referencia que deseamos. Desafortunadamente, muchas personas hacen todo lo necesario para crear una red de contactos sólida pero olvidan pedir ayuda.

Un buen amigo mío es un claro ejemplo de esta idea. Es muy conocido por su inmensa generosidad. Siempre está intentando ayudar a los demás y se esfuerza por estar siempre disponible.

A pesar de que su propia empresa está pasando por dificultades y de que necesita realmente centrarse primero en sus necesidades. Hace poco me dijo que si no conseguía más trabajos pronto, tendría que buscar empleo y cerrar su empresa.

Es posible que su "docilidad" sea, en realidad, la causa de sus propias dificultades. Mi amigo se centra tanto en buscar oportunidades para ayudar a los demás que olvida pedir ayuda para sí mismo, o no reconoce las oportunidades cuando aparecen.

El año pasado le dije que iba a presentarle a alguien que podría conseguirle varias oportunidades de negocio. Tan pronto como comencé a describir alguno de los proyectos en los que estaba trabajando este contacto, mi amigo empezó a hacer una lista con las personas que conocía y que podrían ayudar en esos proyectos.

> Le dije: "Esto es asombroso. Pero este es un contacto para 'ti' y 'tu' empresa. Tienes que centrarte en eso, no pierdas la oportunidad".
>
> Me respondió: "Sé que tienes razón. Pero no soy avaricioso".
>
> "Has pasado los últimos doce años siendo generoso. Puede que por esa razón estés tan necesitado".

Su entusiasmo a la hora de ayudar a las personas de su red de contactos ha impedido que pueda aceptar mucha de la ayuda que necesitaba para su propia empresa.

Conoce a un montón de personas a las que ha ayudado y que estarían encantadas de ayudarle pero no se siente cómodo pidiéndoles su ayuda. Como consecuencia, sus contactos no pueden reconocer las oportunidades adecuadas para él y, por eso, tiene tantas dificultades.

Givers Gain se basa en la idea de que nuestra red de contactos querrá ayudarnos si nosotros seguimos ayudándoles. No obstante, eso sólo funciona si nuestros contactos saben cómo ayudarnos y si nosotros aceptamos la ayuda cuando nos la ofrezcan.

Es bueno ser generoso pero no hasta el punto de que pasemos necesidades.

MANTENER LA CONCENTRACIÓN

Una estrategia de referencias requiere cierto grado de concentración. Al mismo tiempo que podemos realizar un esfuerzo para crear relaciones más sólidas con todas las personas que nos rodean y comunicar nuestras necesidades con más claridad, parece lógico dedicar parte de nuestro tiempo a desarrollar relaciones para establecer referencias específicas con un pequeño grupo de personas.

Nota: Una estrategia de referencias requiere cierto grado de concentración.

En teoría, si una relación se desarrolla con normalidad y sigue siendo positiva, no deberíamos descartar a nadie como fuente de referencias. Sin embargo, si se necesita demasiado tiempo y esfuerzo para desarrollar un nivel alto de confianza e entendimiento para que nos recomienden, quizás es el momento de pensar en el rendimiento de esa inversión.

Posiblemente, sea una forma de hablar sobre las relaciones desagradable pero es necesaria. Si estamos invirtiendo nuestro tiempo y recursos para establecer relaciones con el objetivo de generar referencias, debemos tener una visión clara del tipo de beneficio que queremos conseguir. Ahora es cuando la oportunidad para recomendar, analizada en un capítulo previo, cobra importancia. Pensemos a quién conocen y las conversaciones que es probable que mantengan. Una vez que hayan alcanzado un nivel alto de confianza y entendimiento para recomendarnos con comodidad, ¿están en situación de recomendarnos regularmente a las personas que queremos conocer? Si es así, seguiremos invirtiendo el tiempo y el esfuerzo para mantener esas relaciones. Si disponen de una red de contactos limitada y no tienen el tipo de contactos que deseamos, es posible que tengamos que buscar en algún otro lugar.

> **Nota:** Si estamos invirtiendo nuestro tiempo y recursos para establecer relaciones con el objetivo de generar referencias, debemos tener una visión clara del tipo de beneficio que queremos conseguir.

Las fuentes de la referencia ideal son las más indicadas para seguir presentándonos a nuestros clientes potenciales y a otros valedores para nuestros negocios. Nuestra estrategia de referencias será mucho más eficaz si desarrollamos vínculos sólidos con diez personas clave, cada una de las cuales nos recomendará cinco o seis veces al año, que si intentamos construir relaciones con 50 o 60 personas que podrían recomendarnos una sóla vez.

RESUMEN

En este capítulo, hemos analizado lo siguiente:

1. Asegurarnos de establecer los puntos clave para que nos recomienden.

2. La diferencia entre un método transaccional y uno relacional para generar referencias.

3. Ventajas y desventajas de los incentivos.

4. Recomendaciones para desarrollar una relación comercial sólida con nuestros valedores potenciales.

5. La importancia de ofrecer además de recibir.

13. Cuándo debemos pedir referencias

CUÁNDO NO DEBEMOS PEDIR REFERENCIAS

Elegir el momento adecuado lo es todo. La reputación y las relaciones positivas pueden destruirse por una solicitud de ayuda inoportuna. El valor de todo el esfuerzo que hemos dedicado a desarrollar una relación puede desaparecer si la gente piensa que lo hemos hecho con algún objetivo en mente.

Nota: La reputación y las relaciones positivas pueden destruirse por una solicitud de ayuda inoportuna.

De modo que, ¿cuáles son las señales de aviso?

El momento más obvio para pedir referencias puede ser cuando nos preguntan, "¿en qué puedo ayudarte?" En muchos casos, esta es una oportunidad a la que tenemos que poder responder, aunque antes de nada nos aseguraremos de que son sinceros.

En un capítulo anterior, mencioné un encuentro en el que nos pidieron que ofreciéramos nuestra ayuda a los demás en un ejercicio de networking rápido, y analizamos las dificultades que conllevaba hacerlo.

Hay muchas personas a las que se les ha enseñado que deberían mostrar interés por los demás en los encuentros de networking, preguntarán cómo pueden ayudarnos inmediatamente después de darnos la mano por primera vez.

Naturalmente, podríamos aceptar su ofrecimiento y pedir contactos. Pero ¿qué ayuda estamos dispuestos a recibir? Si no son sinceros, es mucho menos probable que la gente siga la pista o proporcione contactos de buena calidad.

Sin ningún conocimiento de nuestro negocio o la calidad del servicio, lo mejor que podríamos conseguir es una presentación poco entusiasta.

Esto nos pueda dar alguna pequeña oportunidad aunque, si de verdad están dispuestos a ayudar a alguien que acaban de conocer, ¿sería más eficaz un intermediario, una vez que nos han conocido?

No debemos olvidar que nos ofrecerán su ayuda con la condición de que cuanto más apoyen a los demás, más probable es que los demás les ayuden. Mientras que no nos pidan directamente algo a cambio, la ley de reciprocidad se aplica y nosotros podemos sentirnos personalmente obligados a devolver el favor. ¿Es adecuado aceptar una referencia si no estamos dispuestos a recomendarlos a cambio?

Dos de los métodos más habituales para pedir referencias se realizan cuando la gente acaba de agradecernos un trabajo bien hecho, o al final de una reunión con un cliente. La respuesta lógica es que si acabamos de hacer un buen trabajo o presentado un buen caso, la gente no sólo estará encantada de recomendarnos sino que también estarán preparados para hacerlo.

Dándole una nueva perspectiva a este método, Robert Cialdini en su libro Influence: The Psychology of Persuasion, hace referencia a la técnica de la "puerta en la cara" que utilizan los vendedores.

Según Cialdini:

> "Los programas de formación de cada una de las empresas que he investigado resaltaban que un segundo objetivo (para los vendedores a domicilio) consistía en conseguir de los clientes potenciales los nombres de varias referencias, como amigos, familiares o vecinos a quienes podríamos llamar...
>
> En varios de esos programas me enseñaron a aprovecharme de la posibilidad de conseguir referencias a través del rechazo de compra de un cliente...
>
> Muchas personas que bajo otras circunstancias no someterían a sus amigos a una presentación o demostración agresiva de un producto acceden a proporcionar referencias cuando la solicitud se presenta como una concesión por una petición de compra que acaban de rechazar."[1]

Previamente en este libro, hemos descrito en detalle por qué la información conseguida de esta forma por los vendedores con los que se preparó Cialdini no son referencias de verdad. El objetivo consiste normalmente en recopilar nombres y números de teléfono de otras personas para acceder a ellas y ofrecer un negocio, dicho de otro modo, generación de pistas u oportunidades de venta, en lugar de generación de referencias.

Aunque pudiéramos conseguir referencias a través de cualquiera de esas rutas, el momento elegido o timing es completamente erróneo.

---

[1] Robert B. Cialdini (2007), Influence: The Psychology of Persuasion. Revised edition. Harper Business.

Si alguien acabara de agradecernos algo que hemos hecho para ayudarle (como parte de nuestra relación comercial o sólo como favor), o le hemos dedicado mucho tiempo a demostrar cómo nuestros servicios pueden resolver sus problemas, nos hemos centrando en ellos.

Dedicar tiempo a centrarnos en nuestro cliente potencial para después volver a concentrarnos en nosotros en el último momento, destruye el impacto que hemos causado.

Ahondo en esta idea siempre que organizo un seminario sobre la importancia de las referencias o cuando abordamos la estrategia de referencias con un cliente al que estamos formando. Siempre les pregunto cómo se sentirían si, después de pasar tanto tiempo centrados en sus negocios, de repente diera un giro al final de la reunión y les pidiera referencias. Nadie me ha dicho nunca que sería apropiado.

CUANDO EL MOMENTO ELEGIDO ES EL ADECUADO

En mi opinión, el mejor momento para pedir una referencia a un contacto, suponiendo que se hayan establecido todos los principios básicos que hemos mencionado anteriormente, es cuando tenemos algo específico que solicitar y que nuestro valedor puede cumplir con facilidad.

La relación que hemos construido, el servicio que hemos prestado y el apoyo que hemos ofrecido son partes integrantes del proceso para conseguir que la gente esté dispuesta a recomendarnos. Cuando la confianza y el entendimiento están en su nivel óptimo, aprovecharemos la oportunidad para pedir referencias.

Nota: El mejor momento para pedir una referencia a un contacto, suponiendo que se hayan establecido todos los principios básicos que ya hemos mencionado anteriormente, es cuando tenemos algo específico que solicitar y que nuestro valedor puede cumplir con facilidad.

Si no tenemos una petición específica que hacer, averiguaremos a quién conoce nuestro valedor y cómo se relaciona su red con los contactos que necesitamos. Si alguien nos pregunta cómo puede ayudarnos y sabemos que lo intentará, nos prepararemos, si fuera necesario, para decir si podemos responderle en otro momento, para que nos dé tiempo a pensar en la mejor solicitud que podamos realizar.

Nota: Cuando la confianza y el entendimiento están en su nivel óptimo, aprovecharemos la oportunidad para pedir referencias.

Hemos hablado en profundidad sobre la importancia de facilitar a los demás que nos recomienden. Por lo que las peticiones específicas son vitales. Cualquier persona puede haber mencionado que alguien de su red de contactos se ajusta a nuestra idea de lo que es una referencia ideal, o tenemos un objetivo específico y han reconocido que pueden ayudarnos.

Una vez que sabemos que alguien está preparado para recomendarnos y sabemos qué vamos a pedir, sólo se trata de elegir el momento adecuado. En algunos casos, simplemente podemos coger el teléfono y preguntar, en especial si sólo se trata de una referencia en concreto. Con otras personas tendremos que establecer una reunión formal para hablar sobre las referencias.

Muchas de las personas que se conocen a través de las redes sociales oficiales y descubren que pueden desarrollar una relación sólida, se comprometen a reunirse en persona. La idea consiste en conocerse mejor entre ellos, averiguar más información sobre la empresa de la otra persona y esperar que puedan ayudarse mutuamente.

En algún momento en esa relación, y esto será diferente con cada persona que conozcamos, nos sentiremos cómodos proporcionando referencias a los demás, ya sean cualificadas o no.

Si nos encontramos en esa situación, una reunión cara a cara puede ser el entorno perfecto en el que pedir ayuda. Estaremos muy centrados sobre cómo podemos apoyarnos mutuamente y estaremos en situación de pedir, y como consecuencia se pueden ofrecer muchas referencias. Sólo tenemos que asegurarnos de no ofrecer nada que no podamos cumplir, desde el punto de vista del tiempo de dedicación y de la relación.

Con algunos valedores también es posible que tengamos que iniciar una relación formal para generar referencias. Como consecuencia de asistir a un curso realizado por el Referral Institute, mantuve una relación de ese tipo con un compañero. Durante el trascurso de la relación nos reuníamos una vez al mes, sacábamos nuestras libretas de direcciones y repasábamos detalles sobre las personas que conocíamos. Si cualquiera de los dos quería una presentación para alguien de la red de contactos de la otra persona, todo lo que teníamos que hacer a continuación era pedirla.

Esta relación tan especial no duró mucho tiempo. Pudo deberse a que la referencia ideal de mi compañero era tan concreta y específica que no tenía que reunirme con él cada mes para saber a quién buscar o que simplemente no estaba hablando con la persona adecuada. Aunque, durante el poco tiempo que duró la relación, pude conseguir algunos negocios excelentes.

Una forma fantástica de pedir referencias es utilizando la red social LinkedIn. Analizaremos este tema con mucho más detalle en un capítulo posterior.

RESUMEN

En este capítulo hemos analizado lo siguiente:

1. Reconocer y reaccionar ante la posibilidad de solicitar una referencia basándonos en:

   ▶ Los niveles adecuados de confianza.

   ▶ Reconocer cuándo nuestro valedor se siente cómodo recomendándonos.

   ▶ Saber cuándo el momento o timing es el adecuado.

2. Comprender el valor de las reuniones en persona.

14. Recomendar a los demás con seguridad

En un ejercicio que vimos en un capítulo anterior, teníamos que pensar en las personas que habíamos recomendado en el pasado y a quién les habíamos recomendado. Cuando organizo este ejercicio en mis seminarios, los participantes tienen dificultades para pensar en más de una o dos personas que hayan recomendado.

Siempre hago la misma reflexión. ¿Cómo podemos crear una estrategia de referencias en la que esperamos que otras personas nos recomienden si no estamos haciendo lo mismo por ellos de forma activa?

Ya hemos hablado sobre el concepto Givers Gain en este libro y ninguna estrategia de referencias estaría completa sin algún consejo sobre cómo proporcionar referencias a otras personas. Se trata de un proceso de doble sentido y descubriremos que, cuanto más intentemos recomendar a otros, más crecerá nuestra reputación como la "persona" que pone en contacto a la gente, y más probable es que los demás quieran también conectarnos a nosotros.

Nota: ¿Cómo podemos crear una estrategia de referencias en la que esperamos que otras personas nos recomienden si no estamos haciendo lo mismo por ellos de forma activa?

Gran parte de lo que analizaremos en este capítulo no debería pillarnos por sorpresa. Después de todo, no es más que una simple reflexión sobre lo que ya hemos mencionado.

Si comprendemos cómo queremos que la gente nos recomiende, qué les motiva y cómo podemos facilitarles el proceso, ya estamos cerca de entender cómo recomendar a los demás de manera eficaz.

MOSTRAR VERDADERO INTERÉS EN LOS DEMÁS

En un capítulo previo, hablamos sobre excluir nuestras propias necesidades (e incluso a nosotros mismos) cuando nos relacionamos con las personas de nuestra red de contactos.

En lugar de intentar vender a cada persona que conocemos, o preguntarnos si son relevantes para nosotros en cuanto les conocemos, en este libro hemos hablado sobre la importancia de establecer relaciones y ayudar a nuestros contactos si fuera posible o adecuado.

Si podemos alcanzar el nivel en el que nos relacionamos con la gente con verdadero interés, comprobaremos que realizamos contactos con más facilidad.

Si preguntamos a alguien a qué se dedica, lo haremos con sinceridad. Aunque eso implique no preguntárselo hasta que estemos preparados para saberlo, no lo descubriremos automáticamente la primera vez que nos reunamos. Normalmente, intentaría familiarizarme primero con la persona.

Nota: Si preguntamos a alguien a qué se dedica, lo haremos con sinceridad.

Cuando alguien nos ofrece información sobre sus negocios, nos aseguraremos de que lo comprendemos todo. Si utiliza un lenguaje técnico que no entendemos, le pediremos que nos lo explique de otra manera. ¿Realmente sabemos a qué se dedica, para quién lo hace, por qué la gente necesita su ayuda? ¿Podríamos presentarlo con seguridad a otra persona explicando a qué se dedica al mismo tiempo?

Le preguntaremos a quién necesita conocer, y pensaremos en otras personas en nuestra red de contactos que pudieran ser adecuadas. Intentaremos que nos proporcione más detalles para que podamos comprender mejor cómo reconocer a esos contactos y por qué esa persona querría conocerlos.

Tenemos que averiguar cómo podemos establecer un "puente" entre las dos partes. Debemos recordar el argumento, que mencionamos en un capítulo anterior, sobre cómo hacer entender nuestro mensaje. En este momento, somos la persona que está manteniendo la conversación para establecer la referencia.

Por lo tanto, haremos las preguntas clave que nos ayudarán a sentirnos cómodos con la persona a la que deberíamos recomendarle y por qué esa persona se beneficiaría reuniéndose con él.

Tenemos que estar seguros de la conversación que se va a producir antes de intentar transmitir la referencia.

CONOCIMIENTO TÁCITO

Para comprender mejor a los demás, tenemos que mostrar verdadera curiosidad y realizar preguntas inteligentes. Si preguntamos por los retos que afronta la gente en sus empresas, podremos identificar a otras personas en nuestra red de contactos que están en situación de ayudarles, o proporcionar un consejo adecuado basándonos en nuestra propia experiencia.

Nota: Si preguntamos por los retos que afronta la gente en sus empresas, podremos identificar a otras personas en nuestra red de contactos que están en situación de ayudarles.

Después de todo, el networking consiste en compartir y apoyar. Si la gente se siente cómoda compartiendo sus problemas y mostrando sus vulnerabilidades, la relación y su confianza en nosotros se intensificará. Tendremos cuidado con no obligarles a salir de su zona de confort demasiado pronto.

Nota: El networking consiste en compartir y apoyar.

John Hagel III, John Seely Brown y Lang Davison escribieron un artículo[1] sobre la importancia del networking para compartir "conocimiento tácito", en la publicación Harvard Business Review de enero del año 2010. Escribieron: "En este mundo, no se trata sólo de a quién conoces, sino con quién y qué aprendes, y además a quién conoces".

Según Hagel, Brown y Davison, puesto que las técnicas de networking clásicas se centran en el número de contactos, el poder de nuestra red para intercambiar experiencias y conocimientos depende mucho más de las relaciones a largo plazo basadas en la confianza. Exactamente el tipo de relaciones sobre las que hemos estado hablando en este libro.

Los autores continuaban diciendo:

"En el planteamiento del networking clásico, la línea de trabajo consiste en presentarnos a nosotros mismos de la forma más favorable, al mismo tiempo que halagamos a la otra persona para que nos proporcione su información de contacto. Este método degenera rápidamente en un intercambio manipulador en el que las identidades reales de ambas partes quedan en un segundo plano, sustituidas por presentaciones cuidadosamente escenificadas.

---

[1] Podemos encontrar esta referencia a la publicación Harvard Business Review en la dirección Web http://blogs.hbr.org/bigshift/2010/01/networking-reconsidered.html.

Estas relaciones escenificadas muy pocas veces crean confianza. De hecho, producen normalmente el efecto contrario, poniendo a las dos partes en guardia y reforzando los recelos y compartiendo la información de manera muy selectiva.

Una disposición de aprendizaje conduce a un enfoque muy diferente. Ahora el esfuerzo se centra en comprender las necesidades del otro, con un interés especial para entender los problemas más importantes que los demás están enfrentando. Esto requiere tener una curiosidad enorme, escuchar con atención y la empatía para entender el contexto en el que está trabajando la otra persona. También requiere la voluntad de mostrar vulnerabilidades, puesto que es difícil conseguir que la otra persona comparta sus problemas más complejos si no siente que estamos dispuestos a hacer lo mismo.

Para desarrollar este método tendremos que establecer una mayor empatía con las personas de nuestra red de contactos. Los niveles de confianza entre nosotros crecerán y reconoceremos muchas más oportunidades para ponerlos en contacto con las personas que pueden ayudar a superar sus dificultades o desarrollar sus negocios."

EL ARTE DE ESCUCHAR

Los suecos tienen una palabra fascinante, lyhördhet, que se traduce como "escuchar con todos los sentidos". En mi libro, And Death Came Third!, analizaba cómo utilizamos la expresión, "escuchar a", que para mí sugiere un acto pasivo, y que, en su lugar, deberíamos utilizar "estar atento a".

Stephen Covey, en su libro titulado In The Seven Habits of Highly Effective People, habla de la en su lugar "escucha empática":

"Procurar primero entender' supone un cambio de paradigma muy profundo. Lo típico es que primero intentemos que nos comprendan. La mayor parte de las personas no escuchan con la intención de comprender, sino para contestar. Están hablando o preparándose para hablar"[2].

Si queremos ser un verdadero networker e intermediario, tenemos que aprender a "estar atento a" los demás. Esto nos vuelve a recordar la idea de "excluir nuestras propias necesidades". Intentaremos entender cómo las personas de nuestra red pueden ayudarse entre sí. Buscaremos la información clave que pueda ponerlos en contacto a partir de sus deseos o necesidades.

---

[2] Stephen Covey (2004), The Seven Habits of Highly Effective People. Revised edition. Free Press.

Nota: Si queremos ser un verdadero networker e intermediario, tenemos que aprender a "prestar atención a los demás".

Reflexionemos un momento y analicemos cómo clasificamos a las personas de nuestra red de contactos en este momento. Hablamos sobre este tema en un capítulo anterior, cuando estudiamos quién estaba en nuestra red y cómo conectábamos a partir de nuestra relación con ellos.

Si realmente vamos a excluir nuestras propias necesidades y a nosotros mismos en esta situación, tendremos que eliminar esas clasificaciones.

Volveremos a consultar los ejercicios que vimos en capítulos anteriores y haremos una lista con las nuevas personas de nuestra red de contactos. ¿A qué se dedican? ¿Cuáles son sus mayores dificultades? ¿A quién necesitan conocer?, (véase la tabla 14.1).

Analizaremos las relaciones entre diferentes grupos y buscaremos las conexiones. De repente, podemos descubrir que nuestro primo y la persona con la que jugamos al golf se beneficiarían mutuamente del hecho de estar conectados, nunca se nos había ocurrido porque los relacionábamos de maneras diferentes; no era relevante para la relación que mantenemos con ellos.

Tabla 14.1. ¿Cómo podemos ayudar a las personas de nuestra red de contactos?

NOMBRE DEL CONTACTO	¿A QUÉ SE DEDICAN?	¿A QUIÉN NECESITAN CONOCER?	¿CUÁLES SON SUS MAYORES DIFICULTADES?

CUÁNDO RECOMENDAR

Transmitir referencias a otras personas no debería requerir demasiado tiempo. Después de todo, tenemos que preocuparnos por nuestro propio trabajo. Una vez que comenzamos a comprender cómo se relaciona nuestra red de contactos y dónde se encuentran las oportunidades para los demás, debería convertirse en una parte natural de nuestra actividad cotidiana reconocer esas oportunidades y poner en contacto a la gente.

Existen dos factores principales que tenemos que analizar cuando decidimos si es adecuado o no transmitir una referencia. El primer factor se basa en nuestra reputación, el otro en nuestro tiempo y esfuerzo.

Proteger nuestra reputación

Naturalmente, existen peligros cuando recomendamos a alguien al comienzo de una relación. Si la gente comprueba que proporcionamos referencias inmediatamente, esa ayuda tendrá menos valor. Ésa es la razón por la que no recomiendo preguntar ¿en qué puedo ayudarle?, la primera vez que nos reunimos en un encuentro de networking, u ofrecerles obligatoriamente una referencia allí mismo.

Nota: Existen peligros cuando recomendamos a alguien al comienzo de una relación.

Podemos, transmitir "referencias cualificadas", cuando dejamos claro a nuestro cliente potencial que apenas hemos conocido a la persona. Incluso en estos casos, una referencia deficiente puede afectar nuestra reputación y la gente puede cuestionar nuestra credibilidad si las transmitimos con demasiada frecuencia.

Nos esforzaremos para conocer, en primer lugar, las necesidades y los negocios de la persona. Intentaremos saber con quién tendrá buena relación, en especial si se comportarán correctamente una vez que los hayamos presentado.

A través de un amigo común, me puse en contacto por primera vez con un reconocido empresario en una red social en Internet. En nuestra entrevista, este empresario mencionó que quería conocer a "personas interesantes".

Tengo la gran suerte de conocer a muchas personas interesantes, supongo que es una ventaja de mi trabajo, y hay muchas personas en mi red de contactos que se podrían beneficiar de una presentación a ese empresario.

Sin embargo, no hice las presentaciones inmediatamente. En lugar de eso, organicé una reunión con el empresario e intenté conocerle mejor. Quería saber a quién necesitaba conocer realmente y con qué contacto de mi red podría llevarse bien. De este modo, también sentía que construía mi propia credibilidad ante él, que a su vez beneficiaba a las personas que le presenté.

Nota: Nuestra reputación crecerá a medida que transmitimos presentaciones de calidad.

Una vez que nos hemos familiarizado con la gente y sus necesidades, y estamos cómodos con las personas que recomendamos, nuestra reputación crecerá a medida que transmitimos presentaciones de calidad.

Velar por nuestro tiempo y esfuerzo

El segundo factor es nuestro propio tiempo y esfuerzo. Tengo un método bastante sencillo con respecto a si merece la pena transmitir una referencia, como muestra la figura 14.1.

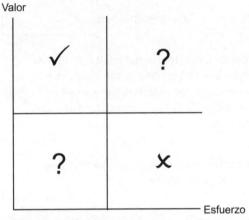

Figura 14.1. Saber cuándo transmitir una referencia.

Por ejemplo, si el esfuerzo que tenemos que dedicar es mínimo pero el valor para la persona que estamos recomendando es alto, sólo tendríamos que realizar una llamada telefónica y enviar un correo electrónico para ponerle en contacto con alguien que necesite su ayuda, entonces sí transmitiremos la referencia.

Si el esfuerzo que tenemos que realizar es alto y el posible valor para nuestro cliente es bajo, probablemente será mejor no transmitir la referencia.

En cualquier otra circunstancia, tendríamos que decidirlo por las ventajas personales. Si el valor para ellos puede ser alto pero antes tendríamos que realizar mucho trabajo previo, tendríamos que considerar las ventajas y desventajas de hacerlo. Si no tenemos que esforzarnos mucho y además el posible valor es escaso, es posible que no valga la pena completar la recomendación, aunque podría merecer la pena comentarlo en caso de que estemos perdiendo parte del posible beneficio de la referencia.

Tenemos que recordar que no siempre estaremos en situación de conocer, o asumir, el valor de una referencia potencial, por lo que siempre es mejor coger el teléfono y preguntar primero.

¿CÓMO SERÁ LA CONVERSACIÓN?

Una vez que sepamos a quién vamos a presentar, ¿cómo vamos a hacer la presentación de manera eficaz?

Algunas veces, es tan fácil como preguntar a alguien si podemos presentarle a uno de nuestros contactos, quien pensamos que podrá ofrecerle algún beneficio. Siempre tenemos que explicar el motivo de la presentación, los problemas que nuestro contacto solucionará y las ventajas de hacerlo. Si mantenemos una relación sólida, entonces la otra persona debería estar receptiva.

Nota: Siempre tenemos que explicar el motivo de la presentación.

Por desgracia, no siempre es tan fácil. En otros casos tendremos que determinar la necesidad antes de realizar la recomendación. Debemos prestar atención a los "comentarios desencadenantes" que indicarán los problemas que nuestro contacto puede resolver. Podríamos estar hablando sobre la situación que están atravesando o las dificultades en sus empresas.

Nota: Debemos prestar atención a los comentarios "desencadenantes" que indicarán los problemas que nuestro contacto puede resolver.

Por ejemplo, si estamos buscando oportunidades para recomendar algún negocio a una agencia de colocación, podemos reconocer que este tipo de presentación sería adecuada si alguien mencionara que están planificando trasladar la oficina para incorporar a más empleados. O pueden mencionar que alguno de sus empleados más importantes se jubila.

Esto nos devuelve el concepto de "estar atento". Cuando la gente nos habla sobre las dificultades en sus empresas, o simplemente describen un problema que está ocurriendo, debemos mostrar un interés real. Les haremos preguntas para determinar la naturaleza del problema, cómo lo están abordando y, a continuación, si procede, haremos sugerencias sobre cómo podrían solucionarlo.

Obviamente, cuanto más sólida sea la relación que mantengamos, más "inquisitivos" podremos ser con nuestras preguntas. ¡No debemos cruzar la zona de confort interrogando a una persona que apenas conocemos!

Aunque es posible que no estemos vendiendo los servicios de la persona que estamos recomendando, ayuda tener un conocimiento razonable de sus negocios y del servicio que ofrecen.

Como ya hemos dicho, en muchos casos tendremos que superar las objeciones iniciales y es muy útil poder anticipar las preguntas que pueden surgir.

Aunque no debemos complicar en exceso las cosas. El momento para proponer el contacto será cuando nos pidan información más detallada. El objetivo consiste en conseguir que la persona quiera saber más.

PREPARAR EL CONTACTO ADECUADO

En los primeros capítulos de este libro, hablamos sobre uno de los métodos más habituales para pedir referencias, en el que los vendedores pedían nombres y números de teléfono a las personas que podían interesarse por lo que hacían sus empresas. Entonces expliqué que esta técnica era, en el mejor de los casos, una forma de generar pistas de venta.

De un modo similar, trasmitir referencias es más que limitarse a trasmitir una lista de números y direcciones de correo electrónico a la gente. Y no basta con enviar un correo electrónico a las dos partes a menos que estemos completamente seguros de que las dos responderán de un modo adecuado.

En los primeros capítulos de este libro establecimos qué era una referencia. La clave para generar una buena referencia consiste en que el cliente potencial está esperando una llamada de la persona que estamos recomendando. El objetivo de nuestra conversación consiste en llegar a esa situación.

Si nos sentimos lo suficientemente cómodos como para dar un paso más, hasta el punto en el que están preparados para comprar, eso sería un beneficio extra aunque no el objetivo principal.

> **Nota:** La clave para generar una buena referencia consiste en que el cliente potencial está esperando una llamada de la persona que estamos recomendando.

Una de las cosas más importantes que podemos hacer es asegurarnos de que transmitimos información de buena calidad a ambas partes. Es muy importante que las dos partes sepan por qué se les está presentando y ambas tienen que confirmar que la conexión es potencialmente valiosa.

Eso incluye al destinatario de la referencia. ¿Estamos seguros de que la persona que estamos recomendándoles es el tipo de cliente o intermediario con el que esperarán trabajar y que proporcionará valor añadido a sus negocios?

Debemos asegurarnos de que no estamos intentando ponerles en contacto con alguien cuyas necesidades sean demasiado pequeñas, o demasiado grandes, para que les resulte beneficioso resolver el problema.

Si ello fuera necesario, primero les llamaríamos por teléfono y entonces lo comprobaríamos.

Nota: Debemos asegurarnos de que no estamos intentando ponerles en contacto con alguien cuyas necesidades sean demasiado pequeñas.

REALIZAR LA PRESENTACIÓN

Una vez que hemos determinado que las dos partes están interesadas en la conexión, lo único que tenemos que hacer es ponerles en contacto. Mi método preferido para hacerlo consiste en enviar un correo electrónico a ambas partes, una vez que estoy seguro de que están preparados para hablar. Tiene que ser un correo electrónico breve y sencillo. Después de todo, si hemos hecho bien nuestro trabajo, lo único que tenemos que decir es:

Estimados X e Y,

Después de nuestras respectivas conversaciones, y como os prometí, voy a presentaros. Los dos aparecéis en este correo electrónico y vuestra información de contacto es:

X-0123 456789
Y-9876 543210

Por favor, contadme cómo ha ido vuestra relación.

Un cordial saludo...

Si fuera necesario, añadiremos información adicional sobre la presentación, aunque no tendremos que hacerlo si hemos hablado con las dos partes. Si vamos a incluir números de teléfono, debemos asegurarnos de que tenemos permiso para hacerlo y que utilizamos los números adecuados. Por ejemplo, ¿prefieren comunicarse a través de sus teléfonos móviles?

La ventaja de este método es que permite al proveedor seguir la pista de venta y ponerse en contacto con sus clientes potenciales. Saben en este momento que se espera su llamada.

Otro método que podemos considerar consiste en establecer una reunión con las tres partes implicadas, nosotros incluidos. Conozco a muchas personas que prefieren este método y puede resultar útil si una o dos de las personas que estamos presentando son clientes o contactos importantes.

Puede ser beneficioso para todas las partes implicadas que nosotros estemos en la reunión, aunque recomendaría tomar ciertas precauciones antes de utilizar este método como norma. Puede que tengamos que dedicarle demasiado tiempo y es muy difícil organizar una reunión cuando tenemos que sincronizar tres agendas. Si mantenemos relaciones sólidas y confiamos en ambas partes, ¿es realmente importante que estemos en la reunión?

Si tenemos que reunirnos con una de las partes por separado, una posible solución consiste en invitar a la otra persona a que se una a nosotros hacia el final de nuestra reunión. En ese momento, podremos hacer la presentación y dejarlos a solas.

Una vez que hemos presentado a las dos partes, mantendremos el contacto y averiguaremos si les ha ido bien. Esas opiniones pueden ser muy importantes para nosotros para poder establecer el valor de cada contacto, el valor que hemos proporcionado a nuestra red y la credibilidad de las personas que estamos recomendando.

RESUMEN

En este capítulo hemos analizado lo siguiente:

1. Aprovechar al máximo los encuentros de networking para establecer relaciones.

2. La diferencia entre "escuchar y estar atento".

3. Tener la confianza para:

   ► Reconocer oportunidades para recomendar.

   ► Conocer a los clientes potenciales para nuestros contactos.

   ► Elegir el momento adecuado para recomendar.

   ► Saber cómo motivar a nuestros contactos para que realicen una referencia.

4. Comprender el valor de una buena presentación.

5. Buscar comentarios "desencadenantes" que nos avisarán de los problemas que nuestros contactos podrían ser capaces de resolver.

6. La importancia de transmitir información de buena calidad a ambas partes.

7. Ejemplos de cómo realizar una presentación a través de:

   ► Correos electrónicos.

   ► Reuniones.

Parte V
Herramientas de trabajo que podemos utilizar

15. LinkedIn como herramienta de trabajo para generar referencias

Las redes sociales han tenido un impacto enorme en el marketing boca a boca, han influido de manera tanto positiva como negativa.

Desde una perspectiva positiva, nunca ha existido una forma tan económica y accesible de compartir nuestra experiencia profesional y de ayudar a nuestra red de contactos a comprender en qué consiste nuestro trabajo y para quién lo realizamos. Ya sea a través de blogs, tweets, mensajes, comentarios en foros o incluso comentarios en video, Internet nos ofrece una gran oportunidad para comunicar nuestro mensaje.

Debemos ser conscientes de las redes sociales y su potencial. Si pretendemos implementar una estrategia de referencias eficaz, tenemos que ser proactivos sobre las redes sociales que utilizamos y cómo participamos en ellas.

Nota: Nunca ha existido una forma tan económica y accesible de compartir nuestra experiencia profesional y de ayudar a nuestra red de contactos a comprender en qué consiste nuestro trabajo y para quién lo realizamos. Ya sea a través de blogs, tweets, mensajes, comentarios en foros o incluso comentarios en video, Internet nos ofrece una gran oportunidad para comunicar nuestro mensaje.

La red social que vamos a analizar en este libro es LinkedIn, puesto que es, en mi opinión, la red en línea más importante para generar referencias.

Nota: Tenemos que ser proactivos sobre las redes sociales que utilizamos, y cómo participamos en ellas.

Basándose en la teoría de los seis grados de separación, LinkedIn ayuda a sus usuarios a determinar cómo pueden relacionarse con otros miembros a través de sus redes de contactos. Dicho de otro modo, si queremos que nos presenten a alguien que es miembro de LinkedIn, el sitio Web nos muestra a las personas que conocemos que están conectadas con esa persona.

La teoría de los seis grados de separación sugiere que estamos separados del resto de personas del mundo por aproximadamente seis grados.

LinkedIn funciona en los tres primeros grados. Podemos consultar nuestra red de contactos a través del sitio Web. También podemos relacionarnos con los contactos de cada miembro de nuestra red e incluso conectar a un nivel superior a ése. Si la utilizamos correctamente, LinkedIn es una herramienta muy eficaz y nos permite pedir, y recibir, presentaciones importantes.

CUATRO PASOS PARA UTILIZAR LINKEDIN COMO HERRAMIENTA PARA GENERAR REFERENCIAS

En este capítulo vamos a analizar los cuatro pasos que tenemos que dar para utilizar LinkedIn para generar referencias. Aunque en LinkedIn hay muchas más funcionalidades, y muchas formas de sacar partido al sitio Web, estos cuatro pasos es todo lo que necesitamos conocer para empezar y conseguir que nos recomienden.

No sólo son técnicas fáciles de desarrollar; una vez que hagamos el trabajo previo, no debería llevarnos mucho tiempo. Si nos preocupa el tiempo que tendremos que estar conectados a sitios Web como LinkedIn, lo pensaremos mejor. Podríamos dedicar sólo 10 minutos al día, o incluso 10 minutos a la semana, en el sitio Web y conseguir referencias sólidas para nuestros negocios. ¿Cuánto tiempo podría ahorrarnos ese pequeño sacrificio en otro lugar?

Los pasos que vamos a describir a continuación están todos disponibles en la versión gratuita de LinkedIn. Hay funcionalidades adicionales disponibles para los miembros Premium, pero eso no afecta al ejercicio que vamos a realizar.

Nota: Si nos preocupa el tiempo que tendremos que estar conectados a sitios Web como LinkedIn, lo pensaremos mejor. Podríamos dedicar sólo 10 minutos al día, o incluso 10 minutos a la semana, en el sitio Web y conseguir referencias sólidas para nuestros negocios.

PRIMER PASO: EDITAR NUESTRO PERFIL

Si recibimos una referencia de un contacto en LinkedIn, ¿cuál es el primer lugar que visitará nuestro nuevo contacto para averiguar información sobre nosotros? Si nuestra referencia se ha establecido a través de LinkedIn, primero consultará nuestro perfil.

Nota: Debemos dedicar cierto tiempo a crear nuestro perfil de la manera adecuada.

Ésa es la razón por la que debemos dedicar cierto tiempo a crear nuestro perfil de la manera adecuada. No se trata de una cuestión de activar las casillas correctas y de incluir información básica. Ésta es nuestra oportunidad de "vendernos" a nosotros mismos. Si un cliente potencial va a tomar la decisión de reunirse con nosotros o no basándose en nuestro perfil, ¿qué información necesita comprobar?

Nota: No se trata de una cuestión de activar las casillas correctas y de incluir información básica. Ésta es nuestra oportunidad de "vendernos" a nosotros mismos.

Estos son los aspectos que tenemos que considerar cuando editamos nuestro perfil.

Añadir una fotografía atractiva

LinkedIn es una red social; la gente quiere relacionarse con otras personas en el sitio Web. Si no añadimos una foto a nuestro perfil, estaremos cometiendo un error a las primeras de cambio.

Esa fotografía tiene que ser profesional pero cordial. No debemos utilizar la típica foto de carnet, ¡ni una en la que llevemos puesto un estúpido sombrero mientras bebemos una cerveza! Algunas personas utilizan caricaturas, aunque creo que ésa tampoco es una alternativa adecuada.

Incluir una descripción detallada de cuál es nuestro trabajo

Cuando editamos nuestro perfil, debajo de nuestro nombre podemos añadir un "titular profesional". A menos que el nombre de nuestra compañía sea muy conocido o una marca en la que queremos centrarnos, utilizaremos este cuadro para compartir un enunciado que muestre inmediatamente el valor que ofrecemos a los demás. El nombre de nuestra empresa no dice mucho a la gente, ni generará ideas preconcebidas inmediatas, por lo que utilizaremos este campo para despertar el interés de las personas que lean nuestro perfil.

Nuestro estado

Deberíamos actualizar nuestro estado con regularidad, para mantener informados a nuestros contactos sobre lo que estamos haciendo (véase la figura 15.1).

Figura 15.1. Estado actualizado en LinkedIn.

Experiencia y objetivos profesionales

Utilizaremos este campo para escribir un resumen de nuestra trayectoria profesional y qué es lo que hacemos. Siempre pregunto a mi red de contactos en LinkedIn qué es lo que más les gusta del perfil de la gente. La respuesta más habitual es "que esté escrito en primera persona". En el resumen, debemos atraer a la gente e implicarlos de tal manera que quieran saber más sobre nosotros. La figura 15.2, muestra un ejemplo de un resumen o extracto en LinkedIn.

Especialidades

Los expertos en buscadores nos dirán que utilicemos palabras clave para que nos encuentren fácilmente en este y en el resto de campos de nuestro perfil. Es un consejo adecuado pero en este capítulo no nos centraremos en ese aspecto.

Cuando editemos nuestro perfil, debemos indicar claramente en este campo cómo podemos ayudar a la gente y cuándo deberían pensar en nosotros.

Puestos de trabajo antiguos y actuales

Nos aseguraremos de añadir todos nuestros trabajos antiguos y actuales, con una breve descripción de nuestro cargo. Nos volveremos a preguntar qué contactos tienen que leer esta información para conseguir que quieran reunirse con nosotros.

Extracto

KEYNOTE SPEECHES - CONSULTANCY - TRAINING

"One of Europe's Leading Business Networking Strategists" - The Financial Times

"Mr Network" - The Sun

I believe that networking is a vital tool in business, from sales generation to career development. Unfortunately, it's still not treated with the same strategic consideration as other business methods, leaving many companies and individuals failing to realise the potential their networks offer.

By knowing why you are networking and what you want to achieve, it is possible to plan accordingly and get great, measurable results.

A business networking strategist, I work with companies on how to use networking tools to develop their businesses. Networking is not just about sales. Whether for lead generation, breaking down silos internally, recruitment and retention of top staff or developing future leaders, networks and collaboration have a key role to play. I work with my clients to help recognise that role and put the strategy and skills in place to leverage it.

I blog regularly for The Huffington Post and for NatWest's 'Business Sense' website and have been quoted in national press, including The Sunday Times, The Financial Times and The Guardian. I have also co-authored two books on networking, and my third book, 'Recommended: How to Sell Through Networking and Referrals' was published by Financial Times Prentice Hall in July 2011.

For eight years, I was Managing Director of Business Referral Exchange, one of the UK's leading referral-focused networking groups with over 2,000 member companies. I now work with companies from one-man bands to global names such as the BBC, Deloitte and Mastercard to help them realise the full potential from their networking.

For my sins I am a Charlton Athletic supporter and former editor of the award-winning Charlton fanzine 'Goodbye Horse' (I must have done something very bad in a previous life!). I also enjoy cooking, swimming, the theatre and attempting very badly to waterski.

Especialidades
Business networking strategy. Referral strategy, Social networks, social networking sites, networking skills, word of mouth marketing, networking for your career, using your network to find a job

Figura 15.2. Extracto de la experiencia y objetivos profesionales en LinkedIn.

SEGUNDO PASO: CREAR NUESTRA RED DE CONTACTOS

Lo primero que debemos tener en cuenta es que este es el segundo paso, no el primero. Si vamos a relacionarnos con personas que puede que no hayamos visto desde hace tiempo, al igual que nuestros clientes potenciales, el primer lugar que consultarán es nuestro perfil. Por lo que, primero, editaremos nuestro perfil correctamente antes de pasar a esta fase.

Crear nuestra red de contactos es una parte importante en la utilización de LinkedIn para generar referencias, aunque no se trata simplemente de una cuestión de "el tamaño importa". Existe un grupo, denominado LinkedIn Open Networkers, que crean redes enormes con el objetivo de aumentar el número de contactos que tienen; no estoy muy de acuerdo con este método. Aunque pienso que tenemos que limitar nuestros contactos a las personas que conocemos, probaremos ese método si estamos buscando referencias.

Nota: No se trata simplemente de una cuestión de "el tamaño importa".

Existe una regla general que suelo aplicar. Si nos dirigimos a alguien y le pedimos que nos presente a un contacto de confianza, ¿se sentiría cómodo haciéndolo? Y si nos piden que le recomendemos, ¿cómo nos sentiríamos? Si existe algún tipo de incomodidad, es posible que tengamos que desarrollar aún más nuestra relación antes de ponernos en contacto a través de LinkedIn.

> **Nota:** Si nos dirigimos a alguien y le pedimos que nos presente a un contacto de confianza, ¿se sentiría cómodo haciéndolo? Y si nos pide que le recomendemos, ¿cómo nos sentiríamos?

No obstante, para aprovechar al máximo LinkedIn como herramienta para generar referencias, tenemos que establecer una masa crítica. Limitarnos a los 10 contactos más cercanos y más apreciados no nos va a proporcionar el alcance que necesitamos para desarrollar todas las posibilidades que ofrece esta red social. Por otro lado, intentar "abrirse camino" a través de 10.000 contactos, con o sin la ayuda del buscador del sitio Web, podría hacer de LinkedIn una herramienta mucho menos eficaz.

Utilizaremos las herramientas del sitio Web para importar los contactos desde nuestra cuenta de correo electrónico. Después podremos decidir a quién, de la lista importada, nos gustaría invitar a unirse a nosotros en LinkedIn.

Mi consejo es que nos aseguremos primero de que todos los contactos están sin seleccionar (es decir, que no tengan activada la casilla que tienen al lado de su nombre). A continuación, examinaremos la lista e invitaremos a las personas que cumplan los requisitos para iniciar una relación que hemos mencionado con anterioridad. No es aconsejable enviar invitaciones a las personas que ya no son miembros de LinkedIn sin consultarlo primero con ellas. En este momento, es posible que estén hartos de todas las invitaciones que han recibido.

Empezaremos a recibir cada vez más invitaciones a conectarnos de personas que no conocemos en LinkedIn. El sitio Web sugiere contactos que los miembros pueden conocer, basándose en los contactos mutuos, correspondencia anterior y otros factores. En estos casos, mucha gente se limita a hacer clic en Conectar. Recomiendo encarecidamente que no hagamos eso sin algún tipo de selección previa. Si pensamos que podremos conseguir algún beneficio por conectarnos con alguien, entonces lo haremos, aunque nos aseguraremos también de entablar una conversación con ellos para que podamos comenzar a desarrollar una relación significativa.

> **Nota:** Si pensamos que podremos conseguir algún beneficio por conectarnos con alguien, entonces lo haremos.

Si enviamos mensajes a los miembros para conectarnos, añadiremos una nota personal a cada uno. Podemos cambiar la plantilla que ofrece el sitio Web. Y si recibimos invitaciones de personas que no conocemos o con las que no queremos conectar, no los eliminaremos sin más.

Nota: Si recibimos invitaciones de personas que no conocemos o con las que no queremos conectar, no los eliminaremos sin más.

En su lugar, responderemos explicando por qué no queremos conectar y, si es posible, les invitaremos a conectar en otro sitio Web, como por ejemplo Plaxo. Siempre me gusta ofrecer la posibilidad de conectar en otro lugar. Puede que pretendan crear una relación sincera y buscar oportunidades a largo plazo. Si nos limitamos a "ignorarlos", podemos perder un contacto positivo.

Naturalmente, es posible que queramos ampliar nuestros contactos a nuevas personas que podrían ser valedores potenciales o que podrían ofrecer un valor añadido a nuestra red de contactos de otra forma.

Tim Bond, director ejecutivo de NetworkingSunday.com, ayuda a las personas de negocios a gestionar su estrategia en LinkedIn, aconseja crear contactos con la gente a través de la opción Grupos, aprovechando el hecho de que ya son miembros del mismo grupo para acercarse a ellos.

Tim dice que "siempre y cuando exista interés mutuo, en muchos casos los profesionales estarán dispuestos a hablar; proporcionando nuestro perfil les damos la información y la confianza que necesitan para responder".

Nota: Si nos limitamos a "ignorarlos", entonces podemos perder un contacto positivo.

"Si compartimos un grupo LinkedIn con alguien, entonces podemos enviarle un mensaje e iniciar una conversación. Debemos incorporarnos a los grupos LinkedIn de los que es posible que sean miembros los clientes potenciales y sus socios (el número máximo de grupos a los que podemos unirnos es 50, por lo que nos aseguraremos de unirnos a todos para maximizar nuestro alcance).

Equilibraremos nuestra pertenencia a los grupos entre las grandes industrias y los grupos especializados más pequeños relacionados con nuestros negocios."

Si decidimos construir nuestra red más allá de nuestro círculo de confianza, debemos tener presente que tenemos que desarrollar esas relaciones si nuestros nuevos contactos van a sentirse cómodos recomendándonos. No basta con realizar la invitación, y alegrarnos cuando la acepten. Desde ese momento, tenemos que comenzar las conversaciones y fortalecer la relación. Cuando necesitemos dirigirnos a nuestro nuevo contacto para pedirle ayuda, ¿se sentirán cómodos y encantados de ayudarnos?

TERCER PASO: EL PODER DE LA RECOMENDACIÓN

Es una práctica positiva decir en qué somos buenos; aunque es totalmente diferente cuando alguien lo dice por nosotros.

LinkedIn, junto con otras muchas redes sociales, facilita la recopilación de recomendaciones de la gente para la que hemos trabajado, que han trabajado para nosotros o que han trabajado a nuestro lado.

Analizaremos a las personas con las que hemos conectado y nos preguntaremos cuál tiene la historia adecuada que contar. No estamos buscando a la gente que pueda decir qué simpáticos o qué agradables somos. Necesitamos las opiniones que animarán a los clientes potenciales a averiguar más información sobre nosotros y a aceptar nuestra invitación para conectar.

Las opiniones perfectas deberían comentar el valor añadido que aportamos a las personas con las que trabajamos (véase la figura 15.3).

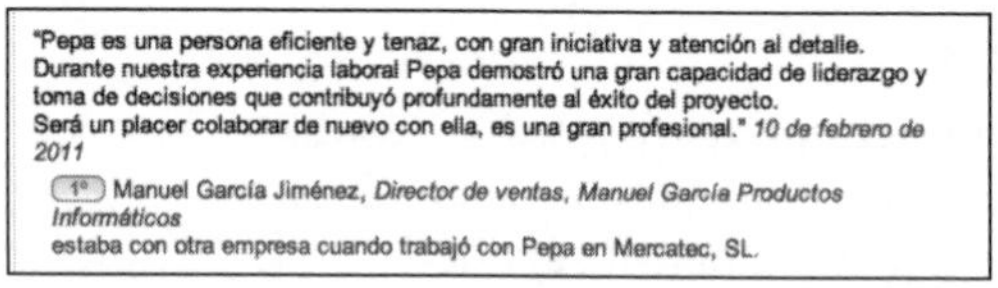

> "Pepa es una persona eficiente y tenaz, con gran iniciativa y atención al detalle. Durante nuestra experiencia laboral Pepa demostró una gran capacidad de liderazgo y toma de decisiones que contribuyó profundamente al éxito del proyecto. Será un placer colaborar de nuevo con ella, es una gran profesional." *10 de febrero de 2011*
>
> Manuel García Jiménez, *Director de ventas, Manuel García Productos Informáticos*
> estaba con otra empresa cuando trabajó con Pepa en Mercatec, SL.

Figura 15.3. Recomendación en LinkedIn.

En el mejor de los casos, la persona que ofrece su opinión se habrá enfrentado a una dificultad que nosotros hemos ayudado a superar y pueden contar la historia de cómo lo hicimos y qué beneficio obtuvieron como resultado.

> **Nota:** Las opiniones perfectas deberían comentar el valor añadido que aportamos a las personas.

Es mucho más recomendable pedir unas cuantas recomendaciones sólidas en lugar de solicitar una gran cantidad de recomendaciones que no aportarán ningún valor adicional.

LinkedIn nos permite pedir a la gente que modifique las recomendaciones que nos han escrito antes de publicarlas en nuestro perfil, no debemos tener miedo de pedírselo.

Tenemos que conseguir que las recomendaciones que publiquemos tengan el impacto adecuado. Nuestros contactos potenciales no leerán todas las recomendaciones que publiquemos a no ser que sólo tengamos unas pocas, por lo que cada una tiene valor. Sólo porque alguien nos ofrezca una recomendación, no debemos sentirnos en la obligación de proporcionar otra a cambio. Es posible que no hayamos experimentado sus servicios de la misma manera, en especial si fueron nuestros clientes, y nuestra recomendación puede que no aporte el mismo valor para su perfil. Además, mucha gente se vuelve escéptica si comprueban que dos personas se intercambian recomendaciones. Empiezan a dudar de su autenticidad.

Nota: Sólo porque alguien nos ofrezca una recomendación, no debemos sentirnos en la obligación de proporcionar otra a cambio.

CUARTO PASO: BUSCAR LOS CONTACTOS

Ahora que tenemos un perfil atractivo, personas que contactarán con nosotros y el apoyo de terceros que respaldarán nuestras peticiones, estamos preparados para buscar referencias. Hay dos formas de buscar referencias en LinkedIn.

Buscar en nuestra propia red de contactos

El primer método consiste en analizar la red de nuestros contactos. LinkedIn nos permite consultar las redes de las personas con las que hemos conectado, siempre y cuando no hayan decidido ocultar su red (y ¿por qué haríamos esto si sólo conectamos con personas de confianza?).

No podemos consultar las redes de contactos de la gente con la que no estemos conectados directamente; por consiguiente ellos tampoco pueden ver las nuestras.

Es poco probable que queramos rastrear a todos los miembros de la red de cada uno de nuestros contactos. Cuanto más amplia sea nuestra red, más nos costará realizar esa tarea. Pero si hemos identificado a alguien que estaría encantado de recomendarnos, o alguien nos ha ofrecido su ayuda, tenemos la oportunidad de consultar a quién conocen y cómo podrían ayudarnos.

Buscar fuera de nuestra propia red de contactos

Creo que la ruta más eficaz consiste en buscar contactos fuera de nuestra propia red. Utilizando los campos de búsqueda que ofrece LinkedIn, podemos localizar a las personas por su nombre, empresa, cargo o ubicación.

Por ejemplo, si quisiéramos conocer a alguien que trabajara en el departamento de marketing de la compañía Ford, en un radio de 80 kilómetros cerca de Londres, introduciríamos esos términos en el buscador. La figura 15.4 muestra el ejemplo de una búsqueda en LinkedIn que realicé hace poco para conseguir precisamente ese resultado.

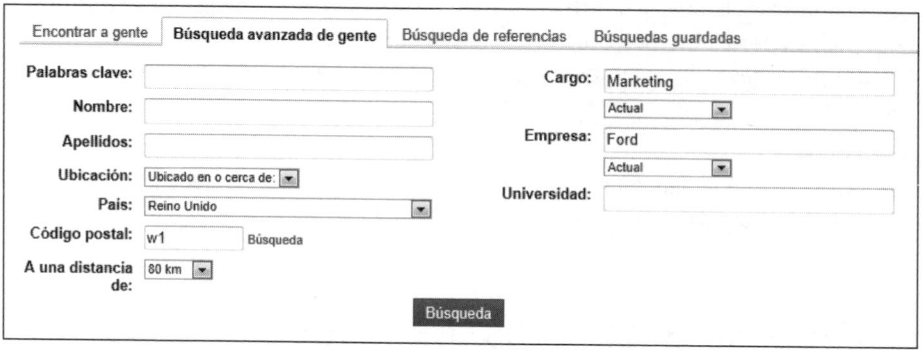

Figura 15.4. Buscador en LinkedIn.

Ejecutando la búsqueda exacta que muestra la figura 15.4, obtuve 35 resultados de personas que cumplían los requisitos. Pude llegar a 23 de ellas a través de mis contactos actuales. Dentro de esas 23 personas, bien puede estar el contacto con el necesito hablar si quisiera trabajar en Ford.

Si compartimos un contacto con ellas, al lado de cada nombre aparecerá un círculo azul. Dentro del círculo indicará, 1º, 2º, 3º o Grupo. Eso quiere decir que ya estamos conectados a esa persona (1°), conocemos a alguien que lo está (2º), conocemos a alguien que conoce a alguien que lo está (3°) o que están en el mismo grupo LinkedIn que ellos. La figura 15.5 es un ejemplo del resultado de mi búsqueda en la figura 15.4. Podemos comprobar que la persona es un contacto de tercer grado.

Figura 15.5. Ejemplo del resultado de una búsqueda en LinkedIn.

Si son contactos de segundo grado, podemos hacer clic debajo de su nombre para ver a quién conocemos que pueda presentarnos. Si son un contacto de tercer grado, haremos clic en Conseguir una presentación y nos dirá cuál de nuestros contactos puede proporcionarnos el siguiente eslabón en la cadena.

PEDIR LA REFERENCIA

Una vez que comprendemos cómo podemos conectar con alguien, ya sólo nos queda solicitar la presentación. Podemos hacerlo mediante una llamada de teléfono preguntando al contacto directamente, o pidiendo la presentación a través del sitio Web.

Uno de los mayores problemas que encontramos cuando pedimos referencias es que no tenemos el control de la conversación que sucede cuando se realiza realmente la referencia. Todo lo que podemos hacer es informar correctamente a nuestro valedor y esperar que sean capaces de repetir el mensaje lo suficientemente bien como para despertar algún interés en nuestro cliente potencial.

En LinkedIn podemos gestionar la solicitud de presentación inicial con una eficacia mucho mayor, escribiéndola nosotros mismos. Cuando solicitamos una presentación, tenemos que escribir dos mensajes.

El primer mensaje es para la persona a la que estamos solicitando que transmita el contacto. Si están transmitiendo la solicitud a través de alguien más en su red, tendrán que escribirles su propio mensaje personal.

El segundo mensaje es para la persona con la que queremos que nos conecten.

> **Nota:** En LinkedIn podemos gestionar la solicitud de presentación inicial con una eficacia mucho mayor, escribiéndola nosotros mismos.

Todos los eslabones de la cadena pueden ver este mensaje, esto les permite decidir si se sienten cómodos reenviándolo.

Pensaremos cuidadosamente ambos mensajes antes de escribirlos, en especial el que escribamos para nuestro cliente potencial. Consideraremos qué puede hacer que quieran responder. ¿La persona o personas que transmiten la referencia se sentirán cómodas haciéndolo?

> **Nota:** Consideraremos qué puede hacer que quiera responder.

En una ocasión, recibí una petición para conectar a alguien de mi red con un cocinero famoso de la red de otra persona que conocía. El mensaje que me pidió que trasmitiera decía: "Si alguna vez necesitas a una persona para examinar tu plan de pensiones, llámame".

No es necesario decir, que no trasmití el contacto.

EL CORREO ELECTRÓNICO MÁGICO

Jan Vermeiren, autor del libro titulado How to REALLY use LinkedIn, cree que no deberíamos utilizar la funcionalidad para pedir una referencia que aparece en el sitio Web. En su lugar, Jan prefiere utilizar lo que el denomina el "correo electrónico mágico".

Según Jan: "El primer paso consiste en llamar al contacto que tenemos en común y preguntarle acerca de la relación que mantiene con la persona en la que estamos interesados. Este paso es crucial porque algunas personas se limitan a aceptar cualquier invitación y no conocen realmente a la otra persona. Como consecuencia, su presentación no merecerá mucho la pena. Si la persona a la que estamos llamando no es la adecuada, entonces llamaremos a nuestro siguiente contacto en común.

Una vez que hayamos encontrado a un buen contacto, le pediremos que escriba un correo electrónico mágico, lo haremos preguntándole: '¿Puedes ponerme en contacto con la persona X y presentarnos a través de un correo electrónico?". De modo que, ¿por qué este correo electrónico es "mágico"? Jan señala que los dos motivos principales son:

► "Puesto que el 'intermediario' dedica tiempo y esfuerzo a escribir el correo electrónico, el 'destinatario' estará más dispuesto a hablar con nosotros. Ya nos han 'vendido' con antelación. Dependiendo de la relación que mantengan entre ambos y la relación entre el 'intermediario' y nosotros, con hacer esto ya puede ser suficiente".

► "No tenemos que escribir sobre nosotros mismos. A muchas personas no les gusta promocionarse a sí mismas o no lo hacen de tal forma que puedan atraer o convencer al 'destinatario'. La presentación de un tercero es mucho más eficaz".

DA IGUAL CÓMO LO HAGAMOS, TENEMOS QUE PEDIR REFERENCIAS

Hay argumentos a favor de ambos métodos y por mi parte, personalmente, utilizo una combinación de peticiones a través del sitio Web y las llamadas por teléfono a nuestro contacto en común, como prefiere Jan.

De cualquier modo, LinkedIn nos puede proporcionar la herramienta perfecta para reunir gran parte de los consejos que aparecen en este libro y para pedir referencias. Una vez que hemos hecho el trabajo previo y tenemos un perfil sólido, una red de contactos y recomendaciones, ya sólo nos queda pedirlas.

Por desgracia, aquí es donde la mayoría de la gente fracasa.

¿Disponemos de una lista de compañías o industrias con las que nos gustaría trabajar? Entonces, pongámosla en práctica en este momento. Si buscamos en LinkedIn a personas relacionadas con esos sectores, siempre y cuando tengamos una red razonablemente sólida, es posible que nos asombremos de lo bien "conectados" que estamos.

¿Qué supondría para nuestra empresa dedicar sólo 10 minutos a la semana a solicitar dichos contactos a las personas que estarían encantadas de transmitirlos?

RESUMEN

En este capítulo hemos analizado lo siguiente:

1. Pasos que tenemos que dar para utilizar LinkedIn como un método eficaz para generar referencias.

2. Los cuatro trámites más importantes:

    ▶ Completar nuestro perfil.

    ▶ Crear nuestra red de contactos.

    ▶ Comprender el poder de las recomendaciones.

    ▶ Buscar contactos.

3. Cómo utilizar el "correo electrónico mágico".

16. El Libro de referencias

El Libro de Referencias sigue un proceso muy simple, se basa en los temas examinados ya en los capítulos anteriores, que nos permiten identificar a valedores potenciales, determinar cómo motivarles y qué tipo de apoyo deberíamos solicitarles. Nos servirá para hacer el seguimiento de las referencias, desde que aparecen hasta su resultado final, y de los comentarios que ofreceremos.

Vamos a analizar el proceso del Libro de Referencias paso a paso.

NUESTROS VALEDORES

Para empezar, vamos a elaborar una lista con los nombres de cinco personas que nos gustaría que nos recomendaran con regularidad. Pensaremos en las personas que tienen la oportunidad de recomendarnos, personas que conocemos que querrán recomendarnos inmediatamente, o que comprenden en qué consiste nuestro trabajo.

Si necesitamos repasar alguno de estos aspectos, podemos consultar la segunda parte de este libro.

Nuestros valedores potenciales podrían ser contactos de negocios, amigos, familiares o personas que sólo hemos conocido en una ocasión pero que ocupan una buena posición para ayudarnos. Los incluiremos en la tabla 16.1.

En este momento, tenemos que analizar a cada uno de nuestros valedores individualmente. Antes de dirigirnos a ellos y pedirles que nos recomienden, debemos saber si están preparados para hacerlo. Este conocimiento nos guiará en las próximas fases.

Nos imaginaremos manteniendo una conversación con nuestro valedor potencial. Ahora, imaginemos que nos ponemos en su lugar. Acabamos de preguntarle si se sentiría cómodo recomendándonos. ¿Cómo se siente?

Intentaremos percibir su primera reacción. ¿Parece dispuesto a averiguar cómo puede ayudarnos? ¿Está preparado para ayudarnos pero no se muestra demasiado entusiasmado? O ¿parece visiblemente incómodo con la idea?

Tabla 16.1. Libro de Referencias. Nuestros valedores.

NOMBRE DEL VALEDOR	DISPOSICIÓN A RECOMENDAR (1-10)	CONOCIMIENTO (1-10)	OPORTUNIDAD PARA RECOMENDAR (1-0)

Nota: Nos imaginaremos manteniendo una conversación con nuestro valedor potencial.

Cuando comprendamos cómo se sienten nuestros valedores, tendremos que valorar su disposición a recomendarnos. Les concederemos una puntuación de 0 a 10, donde 0 significa que no están preparados para recomendarnos de ninguna manera (de hecho, se sentirían más que encantados de decirle a la gente que no utilizaran nuestros servicios) y 10 implica que están "locos" por ayudar.

A continuación, intentaremos determinar cómo nos recomendarían e imaginaremos la conversación que mantendrían con un buen cliente potencial para nuestra empresa. ¿Para empezar, pueden reconocer a esa persona como un cliente potencial para nosotros? Si son capaces, ¿qué les dicen y con qué facilidad y seguridad pueden plantear la cuestión y convencer a la otra persona para que se interese por nosotros?

Basándonos en su capacidad para reconocer y convertir oportunidades por nosotros, podemos concederles una puntuación similar, en una escala de 0 a 10, para valorar su "entendimiento" o "conocimiento" de nuestro negocio.

También tenemos que pensar en las conversaciones que están manteniendo. ¿De qué y con quién están hablando? ¿Se relacionan o hacen negocios con las personas que nos gustaría conocer? Si es así, ¿están hablando de las dificultades y problemas que podemos solucionar? ¿Confiarían en el criterio de nuestros valedores si propusieran hablar con nosotros para ofrecer una solución?

Si conocemos la red de contactos de nuestros valedores y las conversaciones que están manteniendo, podemos reconocer sus oportunidades o posibilidades para recomendarnos.

Si hablan constantemente con nuestros clientes potenciales sobre los problemas que podemos solucionar, deberíamos concederles la máxima puntuación. Si nunca se reúnen con nuestros posibles clientes, y tampoco hablan con ellos, deberíamos concederles la puntuación más baja y quizás deberíamos centrar nuestras actividades en otras personas.

CONSEGUIR REFERENCIAS

Una vez que sabemos que nuestros valedores están bien situados para recomendarnos, podemos comenzar a analizar la ayuda específica que queremos pedirles y también cómo conseguir sentirnos cómodos pidiéndola.

Hemos hablado en detalle de la importancia de las peticiones específicas y cómo facilitan que la gente pueda recomendarnos. En el anterior ejercicio hemos identificado a nuestros valedores y sus redes de contactos, ahora deberíamos poder especificar las presentaciones y el apoyo que nos gustaría que nos proporcionaran (véase la tabla 16.2).

Tabla 16.2. Libro de Referencias. Conseguir referencias.

¿A QUIÉN CONOCEN?	¿CÓMO PODRÍAN AYUDAR?	MÉTODO DE MOTIVACIÓN	REFERENCIAS SOLICITADAS/ PROMETIDAS

He incluido las preguntas, "¿A quién conocen?" y "¿Cómo podrían ayudar?" porque es posible que el apoyo que nuestro valedor pueda ofrecer inicialmente no sean referencias, sino conocimientos del mercado, opiniones sobre nuestras ideas u otras sugerencias. Debemos estar abiertos a todas las posibilidades antes de conseguir las referencias ideales en el momento adecuado.

Nota: Porque es posible que el apoyo que nuestro valedor pueda ofrecernos inicialmente no sean referencias, sino conocimientos del mercado, opiniones sobre nuestras ideas u otras sugerencias.

Por cada valedor, podríamos hacer una lista con dos o tres personas o tipos de negocios que pudieran conocer. En un principio, no haremos una lista demasiado larga. Cuando empiecen a recomendarnos y muestren una buena disposición a seguir haciéndolo, siempre podremos añadir más presentaciones potenciales a la lista.

A continuación, debemos preguntarnos cuál será el siguiente paso que tendremos que dar para convertir a un contacto en un valedor. Las puntuaciones que les concedimos por "disposición" a recomendar y "conocimiento" deberían darnos una pista sobre el "método de motivación" que tenemos que implementar después.

Nota: Debemos preguntarnos cuál será el siguiente paso que tendremos que dar para convertir a un contacto en un valedor.

Si están poco dispuestos a recomendarnos, es muy importante que primero centremos nuestros esfuerzos en ganarnos su confianza. Después de todo, si no quieren recomendarnos, ¿por qué querrían conocer mejor nuestro negocio? Debemos determinar que deberíamos hacer para incrementar la confianza. Quizás, tengamos que invitarles a comer o a tomar un café, averiguar más información sobre sus empresas o ayudarles a superar sus dificultades.

Decidiremos el momento más adecuado y tomaremos las medidas necesarias. Una vez que hayamos comprobado la eficacia de alguna de esas medidas, podremos deducir cuál será el siguiente paso que tenemos que dar.

Una vez que están "dispuestos" a recomendarnos, ¿"conocen" nuestro trabajo lo suficientemente bien como para "reconocer oportunidades"? De no ser así, ¿qué tienen que saber? Para aumentar sus conocimientos, podemos presentarles a alguno de nuestros clientes, para que puedan averiguar cómo les ayudamos en el pasado. Puede resultar más fácil compartir algunos estudios de caso con ellos o invitarles a que nos vean trabajar, si procede.

Cada método de motivación llevará a otro y después a otro hasta que nuestro valedor esté preparado y pueda recomendarnos. En ese momento, todo lo que tendremos que hacer será pedirle una referencia.

Una vez que hemos pedido las referencias, o nos han prometido realizar un contacto por nosotros, es muy importante mantener un registro de esas referencias. Con bastante frecuencia, las presentaciones aparecen durante una larga conversación y, después, una o ambas partes las olvidan. Si apuntamos las "referencias solicitadas" y las "prometidas", podremos hablar con nuestros valedores y preguntarles si están progresando o recordárselo sutilmente, si no surge nada.

Nota: Una vez que hemos pedido las referencias, o nos han prometido realizar un contacto por nosotros, es muy importante mantener un registro de esas referencias.

Debemos tener en cuenta, que eso no es lo mismo que ¡molestar o acosar una vez que se ha hecho la promesa!

MANTENER UN REGISTRO DE LOS RESULTADOS

A medida que nuestra estrategia de referencias comienza a generar dividendos, podemos mantener un registro de las "referencia recibidas" (véase la tabla 16.3). De modo individual, esto nos impulsa a seguir la trayectoria de cada referencia recibida y nos asegura que alcanzaremos, con algo de suerte, algún tipo de conclusión positiva.

Tabla 16.3. Libro de Referencias. Registro de los resultados.

REFERENCIA RECIBIDA	SEGUIMIENTO	RESULTADO	COMENTARIOS/ AGRADECIMIENTO

Nuestros valedores nos preguntarán habitualmente qué sucedió con las presentaciones que hicieron por nosotros. Si mantenemos un registro del seguimiento, podremos consultar fácilmente cuál fue la última actividad y también asegurarnos de que no perdemos ninguna. También puede ser una herramienta muy eficaz para los directores y gerentes de ventas para comprobar cómo responden sus equipos a las referencias recibidas; algo que, de lo contrario, suele provocar conflictos si las personas que generan las referencias y aquellas a las que se les encarga realizar el seguimiento son diferentes.

Debemos tener en cuenta que el "resultado" de las referencias que recibimos nos proporciona mucha información. En primer lugar, podemos determinar cuántos negocios hemos conseguido a través de nuestras fuentes de referencias. También podemos determinar qué referencias pueden convertirse, con mayor probabilidad, en negocios y qué fuentes son las más eficaces para nosotros.

Además, sabremos cuándo y cómo informar a nuestros valedores. Creo firmemente que se pierden muchos negocios porque olvidamos ofrecer comentarios y opiniones de manera eficaz a las personas que nos proporcionan las referencias y por no agradecerles correctamente el apoyo que nos brindan.

Ésta es probablemente la tarea más sencilla de cualquier estrategia de referencias y, aun así, es la que ignoramos con más facilidad.

> **Nota:** Se pierden muchos negocios porque olvidamos ofrecer comentarios y opiniones de manera eficaz a las personas que nos proporcionan las referencias y no les agradecemos correctamente el apoyo que nos brindan.

Aunque una referencia no funcione, deberíamos proporcionar información a nuestros valedores. Para empezar, les hace sentir apreciados sea cual sea el resultado final. Además de eso, estamos ayudándoles a comprender qué referencias son las mejores para nosotros y cuáles no, y cómo podrían generar referencias más eficaces en el futuro.

EL LIBRO DE REFERENCIAS COMO HERRAMIENTA DE TRABAJO

Una herramienta como el Libro de Referencias nos permite recoger información muy valiosa, aunque deberíamos utilizarlo de una forma creativa. Si lo utilizamos correctamente, nos debería revelar una serie de "historias" sobre las personas que queremos que nos presenten, cómo les convertimos en nuestros valedores mediante varias acciones, las referencias que les pedimos y con qué facilidad convertimos esas referencias en negocios.

Cualquier persona de nuestra empresa debería poder leer nuestro Libro de Referencias y comprobar cómo los distintos intermediarios pueden ayudar al negocio de diferentes maneras, y qué motivaciones suelen ser las más eficaces con los distintos grupos de personas.

> **Nota:** Cualquier persona de nuestra empresa debería poder leer nuestro Libro de Referencias.

Uno de mis clientes ha desarrollado un Libro de Referencias diferente para cada canal de intermediarios, para poder concentrarse en cada intermediario de distinta forma y para consultar con facilidad qué patrón surge.

También deberíamos poder averiguar cuántas referencias necesitamos para cerrar un negocio y si estamos transmitiendo bien nuestro mensaje a nuestra red de contactos.

No obstante, sólo funcionará de esta manera si le dedicamos tiempo y esfuerzo. Debemos examinar y supervisar constantemente la actividad en nuestro Libro de Referencias y cambiaremos nuestro comportamiento o incluso a nuestros valedores, en consecuencia. Debemos determinar si estamos consiguiendo un rendimiento acorde a nuestra actividad, si estamos satisfechos haciendo las mismas cosas para los mismos valedores una y otra vez y dónde tenemos que reajustar nuestro método.

Nota: Debemos examinar y supervisar constantemente la actividad en nuestro Libro de Referencias y cambiaremos nuestro comportamiento o incluso a nuestros valedores, en consecuencia.

Naturalmente, a medida que la gente comience a recomendarnos con regularidad, podremos comprobar qué sucede y los tipos de referencias que están ofreciendo. Una vez que las referencias aparecen de forma automática y sabemos que comprenden esa parte de nuestro negocio lo suficientemente bien, podemos intentar aumentar sus conocimientos y buscar, además, otra clase de referencias. De repente, una persona que ya había demostrado que estaba encantada de poder recomendarnos con regularidad, está en disposición de hacerlo aún más.

RESUMEN

En este capítulo hemos analizado lo siguiente:

1. Consejos para crear un registro oficial de nuestra estrategia de referencias y de los valedores que con mayor probabilidad nos ofrecerán oportunidades de referencias.

2. La importancia de supervisar y actualizar nuestra información para utilizarla de la forma más eficaz posible.

3. El Libro de Referencias como herramienta de trabajo para aumentar nuestras oportunidades de negocio.

17. Resultados en los que poder confiar

SEGUIMIENTO DE LOS RESULTADOS

Definir un plan estratégico para nuestro marketing boca a boca implica medir lo que ya está sucediendo y mantener un registro de los resultados que logramos. De este modo, un vendedor puede reconocer quienes son sus fuentes principales y qué funciona mejor, al mismo tiempo que un director de ventas puede identificar a la persona, dentro de su equipo, que está generando con más eficacia nuevos negocios a través de sus redes de contactos.

Si mantenemos un registro de cada referencia que recibimos de todas las fuentes y seguimos la pista de los nuevos negocios hasta la persona que los originó, podremos concentrar nuestro tiempo y esfuerzo en las fuentes de referencias acreditadas, produciendo resultados más eficientes. Después de todo, una vez que la gente ha demostrado su voluntad de recomendarnos y los conocimientos para hacerlo, ¿no deberíamos seguir esforzándonos al máximo para animarles y permitirles hacerlo con mayor frecuencia?

Si hacemos el seguimiento de las relaciones que mantenemos con nuestros valedores, podremos identificar fácilmente aquellos métodos que serán más eficaces que otros. Después, podemos implementarlos, según convenga, con los futuros valedores y ayudar a otras personas, tanto en nuestra compañía como en nuestra red de contactos, a comprender cómo pueden generar también más referencias para sus negocios.

Además, podremos clasificar los nuevos negocios que se generen por tipo de intermediario o por tipo de cliente potencial. Analizando los precedentes, podremos perfeccionar nuestro mensaje. Probar métodos alternativos para solicitar referencias; describiendo a nuestro cliente potencial y sus necesidades de formas diferentes.

> **Nota:** Analizando los precedentes, podremos perfeccionar nuestro mensaje.

Y lo que es más importante para las empresas, podremos utilizar la información que consigamos a través de nuestro seguimiento de las referencias para demostrar el rendimiento de la inversión que se está produciendo. Muchos encuentros de networking y reuniones con las personas más importantes de nuestra red de contactos ofrecen escasos resultados a corto plazo.

Una estrategia de referencias se centra más en el largo plazo con el único objetivo de producir resultados todos los años a través del networking. No es fácil mantener este argumento en una cultura empresarial en la que el rendimiento y la actividad se rigen por los objetivos inmediatos y la necesidad de generar ingresos rápidamente.

> **Nota:** Una estrategia de referencias se centra más en el largo plazo con el único objetivo de producir resultados todos los años a través del networking.

Necesitaremos cierto tiempo para presentar las pruebas que puedan justificar nuestra dedicación al networking y a crear relaciones. Mantener un registro de nuestras actividades para generar referencias garantizará que podamos comprobar fácilmente dónde empleamos gran parte de nuestro tiempo y esfuerzo y si el rendimiento es un fiel reflejo de nuestros actos. Aunque no debemos olvidar que el networking requiere un planteamiento a largo plazo, por lo que tenemos que asegurarnos de establecer objetivos aceptables para un rendimiento realista.

No hace mucho, trabajé con un equipo de ventas; uno de los delegados me preguntó por qué deberían centrarse más en el networking y la generación de referencias que en su tradicional actividad dedicada a las llamadas en frío.

Le ofrecí dos respuestas. En primer lugar, como ya hemos indicado en este libro, creo que si las llamadas en frío producen un rendimiento de la inversión positivo, la generación de referencias puede complementarlas más que remplazarlas.

También le aconsejé que considerara un cambio más gradual en sus actividades. En lugar de centrar su tiempo al cien por cien en las llamadas en frío, debería incorporar en su agenda algunas actividades relacionadas con el networking y las referencias, y comenzar a desarrollar una red de personas que le apoyarán en el futuro.

Cambiar el centro de atención de un método a otro demasiado rápido les llevaría a intentar vender en los encuentros de networking una actividad que sería contraproducente.

Por eso, le sugerí que, en el corto plazo, confiaran en la venta en frío y, aparte, construyeran una red de contactos. Con el tiempo, podrían recurrir a su red de contactos para generar cada vez más referencias y, en ese momento, comenzarían a comprobar los beneficios de esa estrategia. La paciencia es la clave.

PREVISIÓN

Una vez que hemos establecido un buen sistema de seguimiento y podemos constatar de dónde proceden nuestras mejores referencias y en qué circunstancias, podemos comenzar a prever o predecir cuántos negocios se pueden esperar de cada fuente. Este hecho es de un valor incalculable cuando determinamos nuestro plan de negocios para el siguiente año y también cuando establecemos qué rendimiento de la inversión esperamos conseguir de nuestras actividades de networking y del marketing boca a boca.

Sin una estrategia que incorpore dicho seguimiento, las referencias serán mucho más aleatorias y menos predecibles, dificultando mucho más poder elaborar previsiones precisas para las empresas. Si tenemos una idea clara de dónde procederán nuestras referencias, podremos comenzar a establecer objetivos superiores y a determinar cómo conseguirlos.

> **Nota:** Sin una estrategia que incorpore dicho seguimiento, las referencias serán mucho más aleatorias y menos predecibles, dificultando mucho más poder elaborar previsiones precisas para las empresas.

Una de las dificultades más grandes que afrontan las personas que intentan desarrollar una estrategia para generar referencias en la actualidad es la incapacidad de muchas empresas para asignar recursos suficientes para el networking. Cuando organizaba grupos de networking, comprobábamos cómo muchos directores bancarios que habían conseguido beneficios altos abandonaban el grupo porque el banco ya no podía pagar los gastos que suponía la organización de las reuniones semanales. De hecho, la mayoría de los directores bancarios con los que hablé estaban consiguiendo los recursos necesarios para el networking de otros presupuestos, a costa de otras actividades importantes. Esta forma de economizar gastos no contribuye a producir resultados sólidos, ni a gestionar una empresa con eficacia.

> **Nota:** Una de las dificultades más grandes que afrontan las personas que intentan desarrollar una estrategia para generar referencias en la actualidad es la incapacidad de muchas empresas para asignar recursos suficientes para el networking.

Poder predecir el rendimiento de la inversión de estas actividades de networking nos ayudará a presentar el "caso de negocio" para conseguir los recursos que necesitamos para organizar una estrategia de referencias eficaz.

REINCORPORAR A NUESTROS VALEDORES

Las estrategias más actuales para generar referencias son pasivas; hay muy pocas posibilidades de aprender de lo que funciona y gestionar nuestro comportamiento para poder mejorar el rendimiento de nuestros contactos.

Sin embargo, una vez que hayamos establecido instrumentos de medida sólidos, la estrategia cambiará. A medida que desarrollemos una imagen de dónde proceden las referencias y cómo ha sucedido, podremos ser proactivos a la hora de optimizar el potencial que ofrece nuestra red de contactos.

Lo primero que podemos hacer es identificar a los valedores cuya constancia haya decaído y tomar las medidas necesarias para animarles a que empiecen a recomendarnos otra vez. Después de todo, ya han demostrado la capacidad para recomendarnos y la voluntad de hacerlo. En la mayoría de los casos, podremos comprobar que han dejado de hacerlo simplemente porque hemos sido incapaces de mantener la relación; y la podríamos reanudar con facilidad. En los seminarios que organizo, suelo pedir a muchos equipos que llamen durante el descanso a una fuente de referencias perdida. En muchas ocasiones, hemos descubierto que la fuente pensaba que había perdido su posición porque no sabía nada de ellos y, al instante, les había ofrecido nuevas referencias. En este momento, es posible que no sepamos quién ha dejado de recomendarnos, a no ser que no hayamos dejado de pensar en ello, algo que la mayoría de la gente no hace.

> **Nota:** Es posible que no sepamos quién ha dejado de recomendarnos.

Cuando mantenemos un registro de los resultados de nuestra estrategia, podemos comprobar cuándo han dejado de recomendarnos analizando las pautas del comportamiento de la referencia. Resulta muy fácil determinar cuándo nos hemos vuelto autocomplacientes. Quizás dimos por hecho que nos recomendarían automáticamente de cualquier forma, hemos olvidado mantener el contacto o, simplemente, no hemos cambiado nuestro comportamiento hacia ellos para motivarles y apoyar esas referencias. Si queremos seguir motivando a nuestros valedores, tenemos que tomar medidas con frecuencia. Debemos ser proactivos.

Una vez que hayamos determinado dónde radica el problema, podremos cambiar nuestro comportamiento para reavivar la relación y reincorporarlos a "nuestro grupo".

REPETIR LOS ÉXITOS CONSEGUIDOS

Comprender el comportamiento que conduce a fuentes de referencias satisfactorias, también nos ayudará a desarrollar aun más valedores. Un Libro de Referencias, que registra nuestra relación con las principales personas que nos recomiendan, nos permitirá con el tiempo descubrir pautas. Esas pautas nos enseñaran cómo reproducir esos éxitos y, si dirigimos un equipo de ventas, instruir a otras personas para que hagan lo mismo.

Al principio, nuestros intentos para identificar a las personas adecuadas para que nos recomienden y motivarles para que lo hagan puede ser una lotería. Tendremos que probar diferentes actividades con distintas personas para averiguar qué funciona o para aprender de las experiencias menos positivas. Sin embargo, después de un breve período de tiempo, comenzaremos a reconocer los patrones. Puede que ciertos métodos siempre funcionen con un tipo concreto de intermediarios, o que identifiquemos una cuestión que produce resultados constantemente.

Otra pauta que podremos buscar consiste en el tipo de persona que nos recomienda con más éxito. Una vez que determinamos a esas personas en una industria en especial, o a las personas que conocemos a través de una red de contactos específica, que nos proporcionan con regularidad referencias de buena calidad, podremos centrar nuestros esfuerzos en esa dirección y repetir los éxitos.

A medida que desarrollemos una imagen de lo que funciona con más de un valedor y qué grupos de personas nos recomiendan constantemente, podremos crear un sistema que nos permita reproducir nuestras medidas con otros valedores potenciales y transmitirlas a otras personas para que las implementen por sí mismas.

¿CUÁNTAS REFERENCIAS NECESITAMOS PARA REALIZAR UNA VENTA?

Otro de los temas que hemos mencionado en capítulos anteriores es la importancia de conocer las tasas de conversión. No debemos cometer el error de pensar que cada referencia conducirá a cerrar una venta. Seremos muy afortunados si es así. Lo que las referencias deberían darnos son más oportunidades de conseguir negocios a partir de una presentación, aunque seguiremos teniendo referencias que no tendrán éxito.

> **Nota:** No debemos cometer el error de pensar que cada referencia conducirá a cerrar una venta.

A través de nuestro Libro de Referencias, podremos comenzar a desarrollar una idea de cuántas referencias conducirán a reuniones y a partir de cuántas de esas reuniones lograremos un negocio. Será interesante comparar esos resultados con los mismos datos conseguidos a través de otras rutas hacia el mercado, como por ejemplo las llamadas en frío o las preguntas a través de nuestro sitio Web.

Una vez que sepamos cuál es nuestra tasa de conversión, tendremos que tomar dos medidas. La primera consiste en asegurarnos de que pedimos suficientes referencias como para conseguir el negocio que necesitamos, basándonos en la tasa de conversión que hemos determinado.

> **Nota:** Asegurarnos de que pedimos suficientes referencias como para conseguir el negocio.

La segunda medida consiste en mejorar la tasa de conversión en sí misma. Regresemos al Libro de Referencias y preguntémonos si hay algo más que podamos hacer para ayudar a nuestros valedores a comprender cómo preparar mejor las presentaciones.

Personalmente, preferiría esperar por una referencia un par de semanas más, si sé que la persona que me recomienda ha mantenido una conversación más detallada y la persona a la que me está recomendando tiene auténtico interés por lo que tengo que ofrecerle en lugar de tener una curiosidad general.

¿Podrían ser más específicas nuestras peticiones? Dicho de otro modo, si somos poco específicos en lo que pedimos, ¿nos están recomendando a demasiadas personas inadecuadas que, en realidad, no necesitan nuestra ayuda, o simplemente no están en el mercado para lo que ofrecemos al precio que lo ofrecemos?

Nuestro seguimiento es lo suficientemente eficaz, ¿está funcionando? Analizaremos cómo hemos supervisado aquellas referencias que se han convertido en un negocio y aquellas que no lo han hecho. ¿Existe alguna diferencia entre las dos? Quizás se trate del tiempo que nos ha llevado recuperar la relación, si ha existido una conversación telefónica antes de una reunión, o incluso el lugar en el que se ha celebrado la reunión.

Cuando examinemos las tasas de conversión, también debemos analizar la diferencia entre las referencias a las personas que pueden presentarnos y aquellas dirigidas a nuestros clientes potenciales. Tenemos que apartar las referencias a los intermediarios o, mejor aún, determinar nuestra tasa de conversión que proceda de las referencias proporcionadas por esas personas y reintegrarlas en la tasa de la presentación original.

Como hemos sugerido anteriormente, también podríamos agrupar nuestras distintas fuentes de referencias dentro de canales diferentes, como por ejemplo intermediarios profesionales, amigos y familia, clientes y sectores específicos. Es bastante probable que cada uno nos proporcione una tasa de conversión diferente ofreciéndonos más información en la que basar nuestra estrategia y deducir, de esta manera, dónde es más conveniente dedicar nuestros recursos y centrar nuestra atención.

RESUMEN

En este capítulo hemos analizado lo siguiente:

1. Seguir la pista de los nuevos negocios hasta la persona que los originó para dedicar nuestro tiempo y esfuerzo a las fuentes de referencias acreditadas.

2. Asegurarnos de establecer una estrategia de referencias con las siguientes características:

   ▶ Objetivos razonables para un rendimiento realista.

   ▶ Comprender que la paciencia es una virtud en el mundo de las referencias.

   ▶ Asignar recursos suficientes a la estrategia de referencias.

   ▶ Reconocimiento de las pautas de una estrategia de referencias satisfactoria.

   ▶ Planes para mejorar nuestras tasas de conversión.

   ▶ Determinación para apoyar a nuestros valedores a largo plazo.

Parte VI
Apéndices

Apéndice A. Diez pasos para establecer una estrategia de referencias eficaz

En este momento, ya deberíamos tener una idea clara sobre cómo establecer nuestra estrategia de referencias y las herramientas de trabajo que nos ayudarán a conseguirlo. A modo de guía de consulta rápida, estos son los diez consejos prácticos para poder comenzar.

¿QUÉ ESTAMOS BUSCANDO?

1. Comprender la diferencia entre indicio, pista, recomendación y referencia

Podemos recibir diferentes tipos de información comercial. Si la calidad de la relación entre nuestro valedor y nuestro cliente potencial es sólida, tendremos más posibilidades de que la presentación se convierta en un negocio.
Un indicio es un poco de información que señala que alguien necesita nuestro producto o servicio; una pista nos proporcionará un nombre y un número de contacto. En ambos casos, todavía hay mucho trabajo que hacer y son el comienzo del proceso de ventas. En este momento, nuestro cliente potencial no nos conoce, simplemente le han hablado de nosotros.

La gente suele confundir las recomendaciones con las referencias. Si un contacto habla de nuestros servicios a alguien y le sugiere que podríamos ayudarle, se trataría de una recomendación. Después, el contacto le daría nuestro número al cliente potencial y le sugeriría que nos llamara. Si llama, es algo magnífico.

Convertiremos en ventas más consultas de este tipo que cualquier otra. Después de todo, el cliente potencial ya está lo suficientemente motivado como para coger el teléfono y hacernos una llamada. Sin embargo, ¿cuántas oportunidades perdemos porque nuestros valedores nos han recomendado a personas que no cogen el teléfono y que, por lo tanto, no sabíamos ni que existieran?

De modo que, a través de los indicios y las pistas, todavía tendremos mucho trabajo que hacer. Las recomendaciones nos obligarán a estar pendientes del teléfono esperando a que nos llamen. Sin embargo, las referencias nos harán la vida mucho más fácil.

Hay tres pasos para llegar al "cielo" de las referencias:

1. Alguien tiene una necesidad que podemos satisfacer, un problema que podemos solucionar o un deseo que podemos cumplir.

2. Nuestro valedor reconoce esta necesidad y habla con el cliente potencial. Después de esa conversación, se interesan por cómo podemos ayudar.

3. Ahora esos clientes están esperando nuestra llamada.

2. ¿Quién es nuestra referencia ideal?

Si le hiciéramos esta pregunta a muchas personas de negocios, la mayoría tendrían dificultades para responder. Si pueden hacerlo, describirán al cliente típico. Imaginemos por un momento que necesitamos 100 clientes al año para cumplir nuestros objetivos y convertimos una de cada tres referencias en negocios. Por lo tanto, estamos buscando 300 "referencias ideales" al año. ¿Nos parece una cifra que se puede conseguir?

Si pensamos, como la mayoría de la gente, que parece poco realista, probablemente tengamos razón. No obstante, conseguir ese nivel a través de una estrategia de referencias no es un esfuerzo tan enorme si damos los pasos adecuados.

Debemos dedicar cierto tiempo a determinar las presentaciones más sólidas que podríamos recibir. Podrían ser a clientes con los que existe la posibilidad de proporcionar una serie de servicios durante un largo periodo de tiempo. Podrían ser a personas que hablan con muchos de nuestros clientes potenciales y nos pueden presentar de manera regular. Incluso pueden ser a una persona, como a un director de periódico que puede ofrecernos buena publicidad que nos ayudará a llegar a miles de clientes potenciales.

Si alguien nos pregunta: "¿Cómo puedo ayudarle?", no desaprovecharemos la oportunidad por no conocer la mejor manera de responder. Primero, tenemos que hacer nuestros "deberes" y conocer las presentaciones que producirán el mayor impacto en nuestros negocios.

¿DE DÓNDE PROCEDERÁN?

3. Saber quién está en nuestra red de contactos

Cuando se piensa en "referencias", la mayoría de la gente pensará en sus clientes. Parece una conexión natural, después de todo, nuestros clientes son las personas que conocen mejor el valor de los servicios que ofrecemos, por lo que, ¿no deberían ser las personas que nos recomienden? Lo son. Pero no son las únicas.

Hay otras personas que confían en los encuentros de networking para conseguir referencias. En los encuentros de networking, podemos conocer a gente que puede recomendarnos, aunque primero tendremos que construir una relación, invitándoles a nuestra red de contactos. El apoyo y las referencias que necesitamos proceden de nuestra red de contactos. Los encuentros no son más que una forma de crear nuestra red y hacerla más fuerte.

> **Nota:** El apoyo y las referencias que necesitamos proceden de nuestra red de contactos.

Estamos rodeados de personas que podrían ocupar la mejor posición para recomendarnos, aunque es posible que no lo hayamos descubierto. Debemos repasar nuestra lista de referencias ideales. Ahora, pensemos en las personas que conforman nuestra red de contactos y a quién conocen. Pensaremos en nuestros amigos, familiares, proveedores y antiguos compañeros. Pensaremos en las personas con las que nos relacionamos socialmente o en los padres de los niños que van al colegio con nuestros hijos.

Clasificamos a las personas basándonos en la relación que mantenemos con ellas y nos comportamos de acuerdo con esa clasificación. Sin embargo, cada contacto de nuestra red tiene una red propia. Si nuestra relación es sólida, es muy probable que quieran ayudarnos, sólo tenemos que reconocer cómo.

4. Saber a quién recurrir para conseguir referencias

Para decidir quién ocupa la mejor posición para recomendarnos, analizaremos los siguientes factores clave:

1. ¿Confían en nosotros y en nuestra empresa? ¿Querrán recomendarnos y ayudarnos? ¿Se esforzarán por buscar oportunidades? Y ¿se mostrarán convincentes y comprometidos cuando hablen con nuestros clientes potenciales?

2. ¿Hasta qué punto comprenden cuál es nuestro trabajo? ¿Pueden reconocer oportunidades para nosotros sin que nuestros clientes potenciales se las detallen claramente? Dicho de otro modo, ¿pueden deducir de la situación de una persona que tendrán un problema que nosotros podemos resolver? Cuando hablan con nuestros clientes potenciales, ¿tienen los conocimientos suficientes para responder a las preguntas iniciales y despertar el suficiente interés como para que el cliente quiera que le llamemos?

3. Tener la oportunidad de recomendar. ¿Hablan con las personas adecuadas? ¿Son personas influyentes en los círculos correctos? Después de todo, nuestra madre puede confiar en nosotros y comprender a qué nos dedicamos pero, ¿es la persona más indicada para poder recomendarnos?

5. Seleccionar a cinco valedores potenciales

Ahora que tenemos una idea clara de quién está en nuestra red de contactos y quién ocupa la mejor posición para recomendarnos, anotaremos los cinco nombres de las personas que podrían estar recomendándonos pero o no lo están haciendo o podrían hacerlo con más frecuencia. No debemos limitarnos a los candidatos más evidentes. ¿En quién no hemos pensado como intermediario antes, que podría cumplir los tres criterios que acabamos de citar? Si les pedimos que nos recomienden, ¿cómo se sentirían? Intentaremos percibir su primera reacción.

Nota: No debemos limitarnos a los candidatos más evidentes.

Les concederemos una puntuación de 0 a 10 a cada uno de los valedores con respecto a los tres criterios que hemos citado. ¿Qué calificación creemos que conseguirían en cada escala? ¿Es la posición que queremos que ocupen a la hora de recomendarnos?

AYUDAR A NUESTROS CONTACTOS PARA QUE NOS RECOMIENDEN

6. Ponernos en su lugar

¿Nos sentimos frustrados cuando construimos una red de contactos pero no nos proporciona las referencias de calidad adecuadas?

Cuando nos comunicamos con nuestros valedores, es posible que hagamos muchas presuposiciones sobre su nivel de conocimiento de nuestro negocio y sobre la facilidad con la que reconocerán a la persona que necesitará nuestra ayuda. Podemos estar rodeados por personas que estarían encantadas de poder recomendarnos pero que no saben cómo o a quién recomendar.

Cuando alguien nos recomienda, tiene lugar una conversación de la que no formamos parte. Para asegurarnos de que se mantienen las conversaciones adecuadas, tendremos que ponernos en el lugar de nuestros valedores. Qué tienen que saber para:

- ▶ Reconocer las oportunidades adecuadas para nosotros.
- ▶ Sentirse cómodos iniciando la conversación y sugiriendo nuestra solución.
- ▶ Conseguir que la otra persona se interese lo suficiente como para esperar nuestra llamada.

Una vez que comprendemos cómo debemos preparar a la gente para que nos recomienden de manera eficaz, podremos ser más específicos en la forma de transmitirles esa información.

7. Personalizar la estrategia

Muchas empresas ejecutan planes generales para solicitar las referencias. Realizan una petición amplia a tantas personas como sea posible, suelen utilizar expresiones como: "Si conoces a alguien más que pudiera beneficiarse de nuestros servicios...". Se trata de métodos muy poco eficaces. La mayoría de las personas no se preocupará; no hemos sido lo bastante específicos en nuestra petición como para facilitarles el proceso. Si la solicitud es demasiado general, tendrán que esforzarse demasiado para averiguar a quién conocen que cumpla los requisitos. Y muchas de esas personas no harán ese esfuerzo.

En lugar de eso, tenemos que hacer la selección por ellos, pidiéndoles un contacto en concreto que puedan reconocer fácilmente. Analizaremos a cada valedor individualmente y nos preguntaremos: "¿A quién conocen?". Si conocemos sus redes de contactos y qué les resulta más fácil comprender, podremos pedirles los contactos adecuados, aquellos que harán con más comodidad.

8. Transmitir el mensaje adecuado

Cuanto más específica sea la solicitud, más fácil será dejarle claro a la gente por qué las referencias son tan relevantes. En general, los deseos y las necesidades son los que motivan a las personas.

Debemos informar claramente a nuestros valedores sobre los deseos que cumplimos y las necesidades que satisfacemos y cómo puede influir eso en nuestros clientes. Después, les resultará mucho más fácil mantener la próxima conversación con nuestro cliente potencial.

Suponiendo que trabajemos para la mayoría de proveedores de servicios de empresa a empresa, si nuestro negocio soluciona los problemas de nuestros clientes, la estructura del mensaje que tenemos que compartir con nuestros valedores es muy simple.

Una vez que hemos identificado a las personas que nos gustaría que ellos nos presentaran para:

- ▶ Explicar a qué problema es posible que se estén enfrentando.

- ▶ Describir la solución que proporcionamos.

- ▶ Indicar claramente cómo se beneficiarán nuestros clientes como resultado.

Debemos utilizar este modelo como base para nuestros estudios de caso que reflejarán cómo hemos ayudado, anteriormente, a otras personas en situaciones similares; el mensaje tiene que ser sencillo y ceñirse a esa estructura.

SEGUIMIENTO

9. Mantener un registro de los resultados

Las referencias y el marketing boca a boca deberían ser tan importantes para una estrategia comercial como cualquier otra herramienta para el desarrollo empresarial y la generación de oportunidades de venta. Si no realizamos un seguimiento y medimos nuestra actividad, ¿cómo podemos comprobar qué funciona? ¿Qué deberíamos descartar? Y ¿cómo mejorar nuestro rendimiento?

Utilizaremos el sistema del Libro de Referencias para impulsar las actividades para generar referencias, supervisando las que conseguimos y registrando los resultados. Nos permitirá determinar la mejor manera de motivar a distintos grupos para que las recomienden, asegurándonos el seguimiento de las promesas de referencias y cuantificando qué negocios se consiguen a través de las referencias.

Un método específico como éste también garantiza que exista más interés en la generación de nuevas referencias. En lugar de dejar las recomendaciones y las referencias al azar, las empresas pueden buscarlas activamente produciendo, de modo natural, unos beneficios mucho más altos.

10. Agradecimiento

Terminaremos con uno de los consejos más obvios. Resulta sorprendente la cantidad de personas que se dirigen a mí después de una conferencia para contarme cuántas veces se han olvidado de expresar su gratitud a las personas que les han recomendado en algún momento.

Si no agradecemos sus esfuerzos, nuestros contactos pensarán que no los valoramos lo suficiente y dejarán de recomendarnos. Debemos hacer que se sientan queridos y apreciados. Si conseguimos que la experiencia de recomendarnos sea positiva, será más probable que vuelvan a recomendarnos otra vez.

Aunque la referencia no sea adecuada o no dé el resultado esperado, debemos estar agradecidos. Tenemos que decirles qué ha ocurrido o por qué el acuerdo no era el adecuado pero mostrando que apreciamos su apoyo. Si procede, transmitiremos la referencia a otra persona mejor situada para seguir la pista, si bien se lo diremos a nuestro valedor y nos aseguraremos de que se sienten cómodos con los pasos que demos.

Nota: Debemos hacer que se sientan queridos y apreciados.

No debemos agradecer la ayuda que nos prestan una sóla vez. Tenemos que informarles de la evolución de las referencias y, naturalmente, les daremos las gracias otra vez cuando se conviertan en un negocio.

Apéndice B. Recursos en Internet

BLOGS COMERCIALES Y SOBRE NETWORKING

The Networking Blog, para mantenerse informado con mis ideas y consejos sobre networking, `http://www.lopata.co.uk/blog`.

The National Networker, publicación semanal ubicada en Estados Unidos, en la que escribo una columna mensualmente, `http://www.thenationalnetworker.com`.

Business Networking, blog del fundador de BNI y autor superventas, Ivan Misner, `http://www.businessnetworking.com`.

Bob Burg, ideas y opiniones de uno de los maestros del networking, `http://www.burg.com/blog/`.

Brian Tracy, consejos prácticos de uno de los principales expertos mundiales en el desarrollo personal y empresarial, `http://www.briantracy.com/blog/`.

Business Networking Blog, breves consejos sobre networking y podcast del director ejecutivo de la empresa NRG Networks, Dave Clarke, `http://www.nrg-networks.com/nrg-networking-blog.html`.

The Networking Coach's Opinion, blog del escritor belga Jan Vermeiren, autor de Let's Connect y How to Really Use LinkedIn, `http://www.janvermeiren.com`.

Networking Insight, sencillos consejos sobre networking de Jason Jacobsohn, `http://www.networkinginsight.com`.

Social Media Marketing and Business Promotion, blog de Warren Cass, que incluye un gran número de blogueros invitados, `http://www.warrencass.com`.

Just Professionals, excelente blog sobre cómo utilizar los medios sociales para el desarrollo comercial de la arquitecta británica Su Butcher, `http://www.justprofessionals.net`.

Business Scene, guía para encontrar redes de contactos en Reino Unido, además de algunos interesantes eventos que organizan ellos mismos, `http://www.business-scene.com`.

Joined Up Business Networking, consejos sobre networking de Heather Townsend, autora de The FT Guide to Business Networking, `http://www.joinedupnetworking.com`.

Find Networking Events, directorio de encuentros de networking en Reino Unido, dividido por regiones, `http://www.findnetworkingevents.com` (dispone de una sección regional para encuentros de networking de mujeres).

REDES COMERCIALES

The Professional Speaking Association, para cualquier persona que se dedique a impartir seminarios y conferencias, `http://www.professionalspeaking.biz/`.

NRG Networks, reuniones mensuales en varias ciudades del Reino Unido, `http://www.nrg-networks.com`.

Academy for Chief Executives, grupos de mastermind para directores ejecutivos, directores generales y empresarios, `http://www.chiefexecutive.com`.

Vistage, grupos de mastermind para altos ejecutivos, `http://www.vistage.com`.

BNI, reuniones de networking comerciales centradas en la generación de referencias, `http://www.bni.com`.

BRX, mi antigua compañía; networking para conseguir referencias, `http://www.brxnet.co.uk`.

4Networking, comunidad en línea, organiza desayunos de trabajo frecuentes, sin el nivel de compromiso de BNI o BRX, `http://www.4networking.biz`.

Business 4 Breakfast, desayunos de trabajo para generar referencias, `http://www.bforb.com`.

European Professional Women's Network, red de contactos centrada en el desarrollo de mujeres emprendedoras; muy activa, celebran un gran número de encuentros, `http://www.europeanpwn.net`.

Women in Technology, oportunidades profesionales y encuentros excelentes para mujeres de los sectores relacionados con la tecnología de la información, `http://www.womenintechnology.co.uk`.

Women in Banking and Finance, organización profesional que ayuda a sus miembros en el sector financiero y bancario, `http://www.wibf.org.uk`.

Sister Snog, networking para mujeres emprendedoras,
`http://www.sistersnog.socialgo.com`.

1230 The Women's Company, red de contactos compuesta por mujeres para intercambiar ayuda y referencias, `http://www.1230.co.uk`.

The Athena Network, red para mujeres que se dedican al desarrollo empresarial, `http://www.theathenanetwork.com`.

International Special Events Society, importante red de contactos si pertenecemos a la industria de los eventos; tiene divisiones por todo el mundo, `http://www.ises.com`.

London Launch, sitio Web para la industria de los eventos y los organizadores de reuniones en Londres, `http://www.londonlaunch.com`.

LinkedIn, plataforma en línea para generar referencias comerciales, `http://www.linkedin.com`.

Twitter, sitio Web muy útil para propagar nuestro mensaje rápidamente, `http://www.twitter.com`.

Facebook, se utiliza principalmente para conectar con amigos y familiares aunque cada vez se usa más en los negocios, `http://www.facebook.com`.

Ecademy.com, networking en línea, se utiliza sobre todo para generar notoriedad entre las pequeñas empresas; red muy sólida en Reino Unido, `http://www.ecademy.com`.

Xing.com, red social con muchos miembros en Europa, `http://www.xing.com`.

LECTURAS RECOMENDADAS

Matt Anderson (2009), Fearless Referrals. Booksurge.

Andy Bounds (2007), The Jelly Effect. Capstone.

Bob Burg (1998), Endless Referrals. McGraw-Hill.

Graham Codrington y Sue Grant-Marshall (2004), Mind the Gap! The Penguin Group.

Graham Davies (2011), The Presentation Coach: Bare Knuckle Brillance for Every Presenter. Capstone.

Steven D'Souza (2010), Brilliant Networking. Prentice Hall.

Lesley Everett (2004), Walking Tall. Lesley Everett.

Keith Ferrazzi (2011), Never Eat Alone. Doubleday.

Mindy Gibbins Klein (2009), 24 Carat Bold. Ecademy Press.

Jeffrey Gitomer (2006), Little Black Book of Connections. Bard Press.

Andy Gooday (2009), Get Well Connected. Fresh Future Ltd.

Vanessa Hall (2009), The Truth about Trust in Business. Emerald Book Co.

Carol Harris (2000), Networking for Success. Oak Tree Press.

Barrie Hopson y Katie Ledger (2009), And What Do You Do? A & C Black Publishers Ltd.

Bruce King (2010), How to Double your Sales. Financial Times Prentice Hall.

Grant Leboff (2007), Sales Therapy. Capstone Publishing.

Grant Leboff (2011), Sticky Marketing. Kogan Page.

Andy Lopata y Peter Roper (2011), ...And Death Came Third! The Definitive Guide to Networking and Speaking in Public. Second edition. Ecademy Press.

Andy Lopata, Stephen Harvard Davis y Terence P. O'Halloran (2005), Building a Business on Bacon and Eggs. Life Publications Ltd.

Leil Lowndes (2008), How to Talk to Anyone. Thorsons.

Angela Marshall (2008), Being Truly You. Matador.

Abraham Maslow (1943), "A theory of human motivation", Psychological Review 50(4), 370-96.

Ivan Misner y Don Morgan (2000), Masters of Networking. Bard Press.

Linda Parkinson-Hardman (2010), LinkedIn Made Easy. Lulu.com.

Susan RoAne (2000), How to Work a Room. HarperCollins.

Roy Sheppard (2001), Rapid Result Referrals. Centre Publishing.

James Surowiecki (2005), The Wisdom of Crowds. Abacus.

Heather Townsend (2011), The Financial Times Guide to Business Networking. FT Prentice Hall.

Jan Vermieren (2007), Let's Connect. Morgan James Publishing.

Jan Vermieren (2009), How to REALLY Use LinkedIn. Booksurge Publishing.

Richard White (2011), Networking Survival Guide. Lean Marketing Press.

Índice alfabético

V

W